D0835732

Brandhout

Brandhout

Wim Gerard Tubbing

Bewerkt door Laura Weeda

Uitgeverij Boom

Dit boek is mede mogelijk gemaakt door Stichting Vrienden van Sravana.

Omslag Bart van den Tooren, Amsterdam
Binnenwerk Zeno Carpentier Alting, Amsterdam
Drukkerij Wilco

ISBN 9789089532084 | NUR 680
ISBN e-book 9789461276100
www.uitgeverijboom.nl

Inhoud

Voorwoord

Op 11 januari 2008 overleed Wim Gerard Tubbing. Zijn gehele vermogen liet hij na aan de Stichting Vrienden van Sravana.* Volgens zijn testament diende een deel van dit vermogen te worden besteed aan het uitgeven van zijn creatieve werk. Om aan deze wens te voldoen is Stichting W.G. Tubbing opgericht, die een inventarisatie maakte van alle manuscripten van romans, reisverhalen, teksten en gedichten die bij de notaris in bewaring waren gegeven. Voor een plan van uitgave van Tubbings werk, benaderde de stichting vervolgens uitgeverij Boom.

Na een grondige research in opdracht van uitgeverij Boom heeft redacteur Laura Weeda ervoor gekozen het manuscript van de roman *Brandhout* te bewerken en aan te vullen.

Dit boek geeft een inkijk in de jeugd- en oorlogstrauma's van Wim Tubbing en in zijn latere ervaringen in de psychiatrische kliniek van professor Jan Bastiaans, die het mede tot een verrassend en aangrijpend verhaal maken.

Het geheel geeft een goed beeld van het leven van een boeiend, complex en eigenzinnig mens. Om dat beeld aan te scherpen schreef Laura Weeda op basis van onderzoek en vele gesprekken bovendien een uitgebreide inleiding over de auteur en de context waarbinnen de roman moet worden geplaatst.

Het bestuur van de Stichting is zeer verheugd dat met de uitgave van *Brandhout* aan de bijzondere laatste wens van de heer Tubbing tegemoet is gekomen.

Doetinchem, november 2014
Bestuur Stichting W.G. Tubbing

* De Stichting Vrienden van Sravana stelt zich ten doel de terminale zorgverlening in Doetinchem en omgeving mede gestalte te geven. De stichting tracht haar doel onder meer te verwezenlijken door gelden, geldswaarden of andere vermogensbestanddelen ter beschikking te stellen van de Stichting Sravana, hospice te Doetinchem. De materiële ondersteuning betreft in principe niet de ondersteuning in de exploitatie van de Stichting Sravana maar het verstrekken van financiële middelen ten behoeve van verbouwingen en/of uitbreiding van het gasthuis of aanschaf van duurzame kapitaalgoederen en gebruiksgoederen.

Inleiding

De woorden uit het testament van Wim Gerard Tubbing, waarin hij verklaart dat een deel van zijn nagelaten vermogen dient te worden besteed aan de promotie van zijn creatief werk, riepen bij het bestuur van de Stichting Vrienden van Sravana te Doetinchem een aantal belangrijke vragen op: om welk (soort) creatief werk gaat het? Om wat voor kwaliteit gaat het? En: hoe precies aan deze wens te voldoen? Om deze vragen goed te kunnen beantwoorden, werd de Stichting W.G. Tubbing in het leven geroepen.

Het boek dat voor u ligt is de realisatie van de in het testament uitgesproken wens, waaraan in een samenwerking tussen Stichting W.G. Tubbing, uitgeverij Boom en mij als redacteur gehoor werd gegeven. Om *Brandhout* postuum te kunnen bewerken heb ik mij in het werk en leven van Wim Tubbing verdiept. Wie was deze man die eigenzinnig en spitsvondig genoeg was om zijn werk op deze manier gepubliceerd te krijgen?

Wim Tubbing bleek hoogbegaafd, buitengewoon eigenwijs en een enorme herrieschopper. Zijn familieleden wilden over het algemeen niet met mij praten vanwege verstoorde relaties en een van de weinige kennissen in zijn latere leven was een advocaat. Mijn nieuwsgierigheid werd gaandeweg alleen maar meer gewekt, evenals mijn bewondering voor zijn wilskracht en geloof in eigen schrijverschap.

Dat hij daarvoor bij leven weinig erkenning genoot, heeft alles te maken met de genoemde eigenschappen. Tubbing maakte ruzie met uitgevers en weigerde, indien zijn vertrouwen niet was gewekt, naar commentaar te luisteren. Andere schrijvers vond hij over het algemeen maar niks. Ook zijn stijl komt overeen met zijn karakter: 'recht voor zijn raap' (zoals hij het omschrijft), staccato, erg subjectief.

Toch kostte het weinig moeite om in het ruwe materiaal een ontroerende en zelfs spannende roman te ontdekken, die mede door Tubbings verblijf bij 'lsd-professor' Jan Bastiaans, zijn sfeervolle beschrijvingen van de oorlogsjaren en zijn latere eenzaamheid een mooi beeld geven van het leven van een boeiend en extravert persoon.

Vermoedelijk is voor Tubbing met deze publicatie behalve aan die ene wens ook voldaan aan het verlangen zijn persoonlijke verhaal openbaar te maken. Want achter de herrieschopper bleek een gevoelig man verscholen te zitten, die gedichten schreef en die, door zijn levensverhaal steeds opnieuw op te tekenen, in het reine probeerde te komen met het vermeende onrecht dat hem in zijn jeugd was aangedaan.

Hoe ik bij het redigeren te werk ben gegaan vertel ik in de verantwoording. Om te beginnen volgt hier het verslag van mijn onderzoek naar de persoon Wim Gerard Tubbing. Zijn levensverhaal biedt een interessante context bij de roman *Brandhout*. Maar wie dat liever wil, begint met het lezen van de roman zelf. Want, zoals Wim Tubbing het in een van zijn manuscripten zelf verwoordt, 'het is de kracht van ieder creatief werk, dat het op zichzelf kan staan'.

JEUGD. 'WE KRIJGEN MINDER OP DE BONNEN, DUS'

Wim Gerard Tubbing werd op 2 november 1930 geboren in Doesburg als zoon van Hendrikus Petrus Tubbing en Catharina Andrisia Stoer. Hij was zesde in het gezin, met vier oudere broers en een oudere zus. Toen hij zes was vertrok de familie, inmiddels uitgebreid met nog twee jongens en een meisje, naar Groenlo, waar zijn vader hoofd werd van de Aloisiusschool, voor lager onderwijs en uitgebreid lager onderwijs (ulo), en directeur van de handelsavondschool. Ze werden gehuisvest in de ambtswoning naast de school, waar nog eens vier kinderen werden geboren.

Het gezin Tubbing had de voor die tijd gebruikelijke verdeling: vader verdiende het geld, moeder hield zich bezig met de verzorging van de kinderen en het huishouden. Als hoofd van de school was vader Tubbing in die tijd een van de 'notabelen' van het stadje, dat destijds ongeveer 4500 inwoners telde. Deze status beïnvloedde ook de positie van de kinderen, die een andere behandeling genoten dan 'het gewone volk'. Daartegenover stonden verwachtingen. Voor Wim, met zijn dwarse aard, waren die van grote invloed.

De ambtswoning was ruim en erachter lag de speelplaats van de school, waar de kinderen in hun jeugd volop verbleven. Er stond ook een stuk stadsmuur uit de zestiende eeuw, waaromheen ze kuilen groeven en waarachter Wim de boomhut maakte die hij in *Brandhout* noemt. Vader Tubbing breidde de ulo uit tot mulo (de 'm' staat voor 'meer'), een omvangrijk project waar hij trots op was.

Maar met het uitbreken van de oorlog veranderde er veel. In Groenlo, dicht bij de grens met Duitsland, marcheerden op 10 mei 1940 de Duitsers de straten binnen. De jaren die volgden stonden in het teken van de bezetting. Ook in huize Tubbing, waar in één keer een einde kwam aan de zorgeloosheid, en een moeilijke, gespannen periode aanbrak.

De school werd ontruimd. Eerst kwamen er Duitsers in, later Canadezen. Twee kamers van het huis van de Tubbings moesten bovendien worden afgestaan aan de *Ortskommandant*, de bevelhebber van de plaatselijke bezetter. Vanwege veelvuldig luchtalarm werden er schuilkelders aangelegd, waar het gezin regelmatig midden in de nacht heen moest vluchten. Ook golden strenge verduisteringsregels en mocht na spertijd niemand meer de deur uit; wie dat wel deed, riskeerde een boete en was als het ware vogelvrij.

Vader Tubbing zette zich tijdens de oorlog in om de school ondanks de inbeslagname draaiende te houden. Hij huurde zaaltjes in cafés en restaurants, waar maar een plek te vinden was, om les te kunnen geven. Hij stak al zijn tijd erin. Wim had ondertussen veel problemen op school. Hij had het met name aan de stok met een van de onderwijzers, naar wie in *Brandhout* wordt verwezen met 'Potlood'. In Wims versie van het verhaal loopt het zo hoog op tussen de twee, dat deze leraar hem liet 'doubleren' toen uitkwam dat hij een vriendje stelselmatig hielp bij het maken van huiswerk en proefwerken. Het vriendje ging wél over.

Dat een kind van het schoolhoofd bleef zitten was een schande. Wims ouders besloten dat hij dan maar beter kon helpen in huis. Volgens Wim was dit zijn straf voor het schaden van zijn vaders reputatie, volgens een van zijn broers het simpele gevolg van het besluit dat hij niet goed kon leren. Helemaal van school gehaald werd Wim niet, maar hij sloeg veel dagen over. Later in de oorlog gingen de kinderen vaak periodes lang helemaal niet naar school, omdat nergens plek was om les te krijgen.

Op zijn 'spijbeldagen' werd Wim eropuit gestuurd om levensmiddelen en brandhout te halen. De voedselschaarste in het oosten van het land was zelfs tijdens de Hongerwinter niet heel groot: er werd in de omgeving genoeg verbouwd om de boeren en hun buren te kunnen voeden. Alleen aan

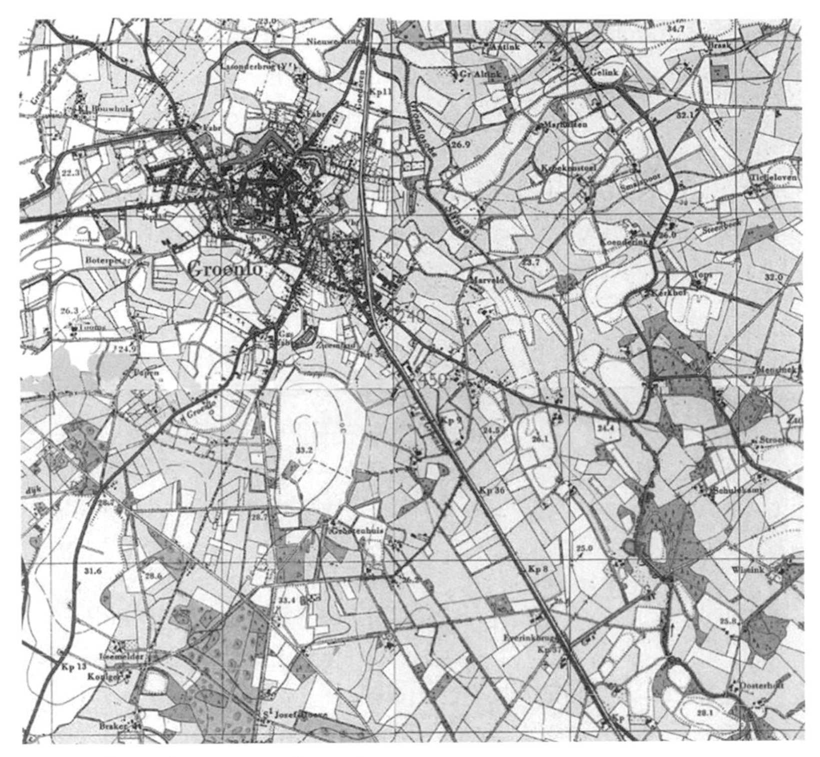

Kadasterkaart van Groenlo en omgeving, 1955.

variatie liet het aanbod te wensen over. Daarvoor ging Wim te voet dan wel met de fiets naar verderop liggende boerderijen, bijvoorbeeld om melk, eieren en soms een stukje vlees te halen.

En dan was er het hout, nodig om te koken, te wassen en voor kleinere klusjes. Voor deze boodschap kreeg Wim geen geld mee, noch werd hem verteld waar hij het kon vinden. Hij kreeg alleen te horen dat hij voor spertijd terug moest zijn en goed moest opletten dat niemand hem zou zien.

Wie het landschap in de buurt van Groenlo op bovenstaand kadasterkaartje bekijkt, kan zich voorstellen dat dat een hele opgave was. De open velden worden alleen onderbroken door de boerderijen zelf en door 'hakhoutbosjes': kleine stukken bos die boeren van oudsher voor hun eigen voorraad brandhout gebruikten. Wim moet op zoek zijn gegaan naar zulke bosjes om daar, ongemerkt, hout vandaan te halen. Hij ging vaak met de bolderkar, waar hij de door hem bemachtigde takken en stammen op kon laden. Daarmee moest hij weer terug de open velden over.

De laatste oorlogsjaren waren voor het gezin extra zwaar. In januari 1945 overleed onverwachts de oudste zoon. Hij had net zijn diploma van de kweekschool gehaald, tot grote trots van zijn vader, die in hem een mogelijke opvolger zag. Precies een jaar na zijn dood werd weer een jongetje geboren, dat zijn naam kreeg.

In september 1945 werd vader Tubbing aangevallen door een dronken Canadese soldaat. Hij was op dat moment aan het werk in de tuin, een van zijn weinige vrijetijdsbestedingen, en zag een groep Canadezen naderen. De man die voorop liep begon aan de deur van het huis te rammelen en drong naar binnen, waar hij in de bijkeuken in een stuk hakhout een bijl vond. Vader Tubbing vluchtte de trap op, naar boven, waar een van zijn jongste zonen lag te slapen, om daar eerder te zijn dan zijn achtervolger. Om diens aandacht af te leiden vluchtte hij een andere kamer in, en zag uiteindelijk geen andere mogelijkheid dan van het balkon af te springen. Hij brak zijn heup.

Na dit voorval werd hij nooit meer de oude. Hij takelde af en een klein jaar later, februari 1946, overleed hij aan een hartaanval.

Moeder Tubbing bleef achter met twaalf kinderen. Ze was vierenveertig en moest rondkomen van een weduwepensioen: circa vijftig procent van het laatste inkomen van haar man. Drie dagen na vaders begrafenis kwam bovendien iemand van het schoolbestuur aan de deur om te vertellen dat de woning moest worden ontruimd voor het nieuwe schoolhoofd. Voor de familie werd een ander huis 'gevorderd', zoals dat toen ging.

Niet lang voor zijn dood had vader Tubbing besloten dat enkele kinderen naar een kostschool zouden gaan. Voor Wim werd dat de bisschoppelijke nijverheidsschool te Voorhout. Eerst werd hij er afgewezen, maar na bemoeienis van zijn oom Wim, een 'verrekt aardige vent', was hij alsnog welkom.

Wim was blij weer onderwijs te mogen volgen, maar vond het er verschrikkelijk. Hij werd gepest en leed onder een gebrek aan privacy. Hij wilde niet meedoen met teamsporten en worstelde met zijn ontluikende seksualiteit. Het liefst wilde hij onderwijs volgen aan de Leo-Stichting, een internaat in de buurt van Borculo dat in 1898 door de Rooms-Katholieke Kerk was ingewijd als opvangplaats en 'opvoedgesticht' voor jongens die niet langer thuis konden wonen. Maar Wims moeder hield vast aan de wens van zijn vader.

Toen na twee jaar de opleiding alsnog voortijdig werd afgebroken omdat de lerarenopleiding van een van Wims broers anders niet kon worden gefinancierd, was Wim opgelucht en verbolgen tegelijk; waarom nu wel, en niet toen hij aangaf hoe verschrikkelijk hij het vond? In ieder geval mocht hij nu eindelijk, zoals hij graag wilde, naar de Leo-Stichting.* Hij werkte er hard en wekte het vertrouwen van de fraters, die in hem een goede leraar zagen en hem daartoe wilden opleiden. Zijn moeder keurde het plan wegens geldgebrek af.

In 1949 verliet Wim het ouderlijk huis om op kamers

* Tot 1980 bleef de Leo-Stichting een internaat. Daarna kreeg het een bestemming als justitiële inrichting. Nog altijd wonen er jongeren die om uiteenlopende redenen niet thuis kunnen wonen. Bekend is dat in de Leo-Stichting veel misbruik heeft plaatsgevonden in de periode tussen 1950 en 1970. Hierover was veel ophef en verschenen twee boeken: *Een weeskind* van A. Pilgrim en *Vrome zondaars* van J. Dohmen. Tubbing heeft er niets over geschreven, hij had er een goede tijd.

te gaan wonen. Hij had het ene na het andere baantje en verdiende goed geld, als monteur en elektricien. Het was in deze periode dat Wim ontdekte 'gouden handen' te hebben. De lampen, fruitschalen en andere voorwerpen die hij zelf maakte van ijzer, koper en messing en vervolgens verkocht leverden hem nog wat extra's op. Maar hij begon zich te vervelen en herstelde het contact met de fraters, via wie hij alsnog bij de lerarenopleiding terechtkwam. Van zijn gezinsleden bleef hij het meest close met broer Jan, met wie hij het altijd goed had kunnen vinden. De anderen zag hij regelmatig, maar het contact verliep stroef.

POSITIE BINNEN HET GEZIN. 'WAAROM IK? ALLEEN. WAAROM?'

Uit Wim Tubbings boeken spreekt duidelijk dat zijn jeugd een traumatische periode voor hem was. Keer op keer schrijft hij de gebeurtenissen uit die jaren op in een poging er vrede mee te krijgen, waar hij treurig genoeg nooit helemaal in lijkt te zijn geslaagd.

Bij de vorming van zijn trauma zijn twee ervaringen doorslaggevend geweest. De eerste is dat hij in zijn herinnering de enige was die er door zijn ouders op uit werd gestuurd om hout te halen en tijdens schooltijd boodschappen te doen. Deze tochtjes in de schemering, als niemand hem zou zien, of in vijandelijk gebied, bijvoorbeeld over de grens, waren angstige ervaringen voor hem. Bovendien voelde hij zich eenzaam. Waarom *hij*? Van de dertien? Het was geen vraag die hij thuis kon of durfde te stellen.

Aan het einde van de oorlog hadden de tochtjes nog een ander effect op zijn ontwikkeling. Hij werd cynischer en besloot er dan maar zijn voordeel mee te doen. Zo begon hij steeds meer spullen te 'organiseren' (oorlogsjargon voor stelen), zodat hij het geld dat hij van zijn ouders meekreeg voor zichzelf kon houden, en vond hij andere inventieve manieren voor het vergaren van 'luxegoederen', zoals extra schoenen, of een fiets. In *Brandhout* merkt hij op dat een carrière in de criminaliteit hem niet slecht zou zijn afgegaan, en ook in andere boeken flirt hij met het idee.

De tweede traumatische ervaring heeft ook met deze tochten te maken, maar is gekoppeld aan één specifiek voorval. Het was 24 februari 1945 en Groenlo was doelwit van een Engels bombardement, waarbij tientallen doden vielen. De eigenlijke doelen (een fabriek en het hoofdkwartier van de Duitsers) werden niet geraakt, veel winkels, woonhuizen en de oude Calixtuskerk, die zich schuin tegenover de hoofdmeesterswoning bevond, wel. Zwaartepunt van de bombardementen was de weg van Winterswijk naar Groenlo, die Wim gewoon was op zijn voedseltochten te nemen. In plaats van zijn gangbare route koos hij, toen hij er op deze dag toch weer op uit werd gestuurd voor flessen melk, voor de zandpaden die er parallel aan liepen.

Maar het gevaar op deze dag was niet wat hem voor Wim zo traumatisch maakte. Het ging om de opmerking die zijn vader hem meegaf voordat hij vertrok, namelijk dat hij, mocht hem onderweg iets overkomen, maar eens moest bedenken wat een verdriet hij zijn ouders had gedaan.

Deze zin is zijn leven lang door Wims hoofd blijven spoken. Hij kwam er niet uit wat er precies mee bedoeld was en trok de ergste conclusie, namelijk dat zijn vader, die regelmatig de Ortskommandant sprak en veel naar Radio Oranje luisterde, wist wat er die dag gebeuren zou en met deze woorden wilde aangeven dat hij het als Wims eigen schuld beschouwde als hem iets zou overkomen.

De broer die ik sprak kan zich bij deze interpretatie, en bij het voorval in het algemeen, niets voorstellen. Zelf dacht ik in eerste instantie dat Wims vader bedoelde te zeggen hoe verschrikkelijk het voor zijn ouders zou zijn als hem iets overkomen zou. Oftewel: wees voorzichtig. Het had een liefdevolle waarschuwing kunnen zijn.

De interpretaties lijken vooral iets te zeggen over de positie van de verschillende personen. Wim voelde zich ongewenst en haalde er de negatiefst mogelijke boodschap uit, zijn broer kan en wil zich niet voorstellen dat zoiets speelde binnen het gezin en verwerpt het hele gebeuren. Wat vader Tubbing met zijn woorden bedoelde – en of hij ze überhaupt zo uitgesproken heeft – blijft een vraag waarop, tot Wims grote frustratie, nooit een antwoord op kwam. Een jaar later stierf zijn vader en nam elke mogelijkheid daartoe mee het graf in.

Vanuit Wims eigen beleving is het trauma dat hij aan deze periode van zijn leven overhield hoe dan ook inleefbaar. Hij voelde zich het verwaarloosde jongetje, dat in tegenstelling tot zijn broers en zussen niet naar school mocht, eropuit werd gestuurd met alle risico's van dien en bij niemand in het gezin echt aansluiting vond, behalve dan bij zijn enkele jaren oudere broer Jan, de op drie na oudste. Jan was met hem begaan en werd volgens Wim soms ook achtergesteld, wat een wederzijds gevoel van solidariteit tot stand bracht.

Wim belandde op zijn vierentwintigste in een psychiatrische kliniek en later in een inrichting die gespecialiseerd was in het bestrijden van trauma's. Hij sliep zijn leven lang slecht, volgde slaapkuren en had ondraaglijke migraineaanvallen. Hij had periodes waarin hij niet kon praten, en was niet in staat tot intimiteit of seksualiteit. Dat dit alles door zijn jeugd kwam, is natuurlijk niet gezegd. Voor Tubbing zelf bestond daar geen twijfel over.

Volgens zijn broer moesten de Tubbings er allemaal wel eens op uit voor een boodschap of het bos in voor hout, en gingen ze ook vaak samen op pad. Wim wilde volgens hem graag alleen, wat hij overigens beaamt in een van zijn verhalen, en ook strookt met zijn eigenzinnige karakter. De broer zoekt de oorzaak van de problemen rond zijn broertje in diens dwarse gedrag en opstelling binnen het gezin, zijn weigering gezag te accepteren van wie dan ook, zelfs van zijn ouders. Hij illustreert dit met het feit dat Wim na de dood van hun vader als enige geen begrip had voor de moeilijke situatie waarin hun moeder verkeerde, en haar in plaats daarvan het ene na het andere verwijt maakte. In zijn ogen dacht Wim vooral aan zichzelf en was hij niet goed in staat zich in te leven in anderen.

Het ligt voor de hand de oorzaak van Wims aparte positie binnen het gezin in zijn karakter te zoeken. Hij had grote behoefte aan aandacht, meer dan zijn ouders, die dertien kinderen hadden, hem konden geven. Dat hij moest gehoorzamen interpreteerde hij als 'straf' (hij heeft het in *Brandhout* regelmatig over 'boze sermoenen'), het gebrek aan aandacht vatte hij persoonlijk op; zijn ouders hielden niet genoeg van hem. Het zonder meer volgen van Bijbelse normen en waarden vond hij onzinnig, en dat gold ook voor het 'drillen', dat ze volgens hem in het onderwijs deden. Hij kon niet meegaan in wat er van hem verwacht werd, het maakte hem opstandig. Conform de mentaliteit van de oorlogsjaren en erna had hij weinig ruimte om zijn creativiteit en zijn afwijkende ideeën te onderzoeken. En dus raakte hij gefrustreerd.

Hij zocht onder andere troost in het boek *Het drama van het begaafde kind* van Alice Miller (1979), dat hij in het dankwoord van *Brandhout* noemt. Met dit boek opende Miller hem, zoals hij aangeeft, de ogen. En hij was niet de enige. Veel mensen lukte het naar eigen zeggen dankzij Miller 'de deur naar hun ware zelf te openen'. De Poolse psycholoog en schrijver wordt gezien als de grondlegger van de moderne psychoanalyse. *Het drama van het begaafde kind* maakte haar wereldberoemd.

In haar boek beschrijft Miller hoe ouders, en in het bijzonder moeders, vaak 'noodlijdend' zijn, dat wil zeggen dat ze ernaar streven hun eigen behoeften te bevredigen in plaats van zich beschikbaar te stellen aan de behoeften van hun kind. Doordat ze niet echt in staat zijn liefde te geven, dragen ze hun noodlijdende situatie onbewust over op hun kinderen, die bezig zullen zijn zich aan te passen aan de verwachtingen van de ouders en daardoor worden belemmerd in hun vrije ontwikkeling. Gevoelens worden geblokkeerd en moeten plaatsmaken voor die van de ouders, of voor wat ze worden geacht te voelen. Tenzij kinderen in staat zijn dit van zichzelf in te zien, en zich op die manier van de smet kunnen bevrijden (een zware opgave), worden ook zij noodlijdend.

De theorie, of althans het omschreven effect, klinkt herkenbaar voor wie Tubbings boeken leest. Hij was een herrieschopper die niet mee wilde gaan in conventies, zich niet wilde aanpassen aan wat binnen het gezin van hem verwacht werd. De voornaamste verwachtingen waren dat hij mee zou lopen in het gareel, zijn best zou doen op school en geen problemen zou maken. In deze tijd zou hij misschien met de diagnose ADHD of hoogbegaafdheid extra aandacht krijgen en als uitzonderlijk geval worden gezien, toen was de overtuiging dat hij zich door middel van straf zou leren aan te passen. In de tijd dat hij opgroeide was er geen ruimte en begrip voor eigenzinnigheid, laat staan voor verdieping in eventuele persoonlijkheidsstoornissen. Hij werd getypeerd als lastig, brutaal en onhandig. Met dat beeld van zichzelf is Wim Tubbing zijn leven lang blijven worstelen.

Wel wordt hij in de loop van zijn leven milder. Hij probeert zich in te leven in anderen en de manier waarop zij bepaalde gebeurtenissen hebben beleefd, lijkt zich voor het eerst te realiseren dat die andere beleving überhaupt bestaat. Hij begint regelmatiger contact met zijn familieleden te zoeken. Maar voor de meesten van hen is het al te laat. Zelfs op begrafenissen en bruiloften is hij niet altijd meer welkom. De boodschap is dat hij eerst maar eens normaal moet leren doen tegen 'moeder'.

De broer met wie ik sprak is de enige die op Wims verzoek een van zijn manuscripten las, namelijk het meest uitgebreide en meest autobiografische *Betonnen muur.* Daar schrok hij zo van dat hij het na enkele passages terugstuurde met de boodschap 'Men spuugt niet in de bron waaruit men geboren is'. Hij sloot geld bij om de postzegels te vergoeden, omdat zijn broer daar volgens hem prijs op stelde. Voor de eer het manuscript te mogen corrigeren, een verzoek dat te maken had met zijn leraarschap, bedankte hij. Daarna wilde hij nooit meer iets van Wim lezen. Hij ergerde zich vooral aan het totale gebrek aan relativering in de verhalen.

Deze zelfde broer is de enige die aan het boek mee wilde werken, op voorwaarde dat hij niet bij naam zou worden genoemd. Hij sprak ook op Wims begrafenis. In zijn speech is hij liefdevol neutraal. Hij noemt Wim een einzelgänger en zegt dat hij het zichzelf niet gemakkelijk heeft gemaakt, en dat het hem, ook zijn gezondheid in rekenschap genomen, niet mee heeft gezeten. Hij zegt blij te zijn dat Wim enkele vrienden had die hem accepteerden zoals hij was, en prijst zijn intelligentie en doorzettingsvermogen, die maakten dat hij altijd weer overeind wist te krabbelen. Hij spreekt zijn bewondering uit voor zijn technische vermogen, zijn leraarschap en voor het feit dat zijn broer daarnaast ook nog eens veel reisde en boeken schreef. De urn met de as van Wim werd geplaatst naast die van zijn geliefde broer Jan, op de begraafplaats Slangenburg, vlak bij het landgoed dat 'zijn leven redde'.

Jelgersmakliniek. 'Een veelbelovend park, een gevaarlijk park'

Vanaf zijn vierentwintigste verbleef Wim Tubbing op aanraden van zijn dokter twee periodes van enkele maanden in de Jelgersmakliniek, een opvangtehuis voor mensen met ernstige persoonlijkheidsstoornissen. Het monumentale gebouw dateert uit het begin van de twintigste eeuw en staat op landgoed Rhijngeest, onderdeel van landgoed Endegeest in Oegstgeest. In de kliniek konden patiënten met psychosomatische aandoeningen, dat wil zeggen aandoeningen die zich fysiek uiten maar een psychische oorzaak hebben, destijds worden geobserveerd en behandeld, en indien nodig werden ze doorverwezen naar een psychiatrische inrichtingen.

Tubbing had last van angstaanvallen, nachtmerries en ondraaglijke hoofdpijnen. Hij sliep slecht, had weinig eetlust en kampte met spraakproblemen, een verschijnsel dat in de psychiatrie 'mutatie' wordt genoemd. Ook in zijn latere leven gebeurde het regelmatig dat hij geen woord meer kon uitbrengen als het op een onderwerp kwam dat aan een van zijn trauma's raakte.

Het verblijf in de kliniek was voor Tubbing de hel op aarde. Hij hekelt in zijn boeken herhaaldelijk de kleine kamer met de groene deur en de gesausde muren, het kale, 'ongastvrije' bed, de zwart-witte granieten vloer waar hij steeds als hij na een nachtmerrie uit bed viel op belandde, de lamp die altijd brandde. Naar eigen zeggen verkeerde hij hier tot twee keer toe op het randje van de dood.

Ook voor zijn behandelaars, in die tijd grote namen in de psychiatrie, heeft hij weinig goede woorden over. Een van hen was professor Vereecken, die in opleiding was bij professor Carp, psychiater, neuroloog en hoogleraar psychiatrie aan de Universiteit Leiden. Tubbing duidt Carp steevast aan als 'de machtige', en toont zich verbaasd als de professor sporadisch een menselijke eigenschap vertoont.

Het was deze Carp die als eerste vaststelde dat Tubbing waarschijnlijk hoogbegaafd was. Hij vroeg hem deel te nemen aan een intelligentietest, wat Tubbing deed, naar eigen zeggen uit verveling. De professor stond versteld toen hij de test drie keer zo snel aflegde als anderen, en foutloos. Hij liet speciaal nieuwe tests ontwikkelen, zodat hij zeker wist dat Tubbing de antwoorden niet van tevoren al wist. 'Met de huidige stand van de wetenschap, zijn uw intelligentie en intellectuele vermogens niet te testen,' concludeerde hij. Tubbing was niet erg onder de indruk, maar het bood genoegdoening na wat hij sinds zijn schooltijd ingewreven had gekregen, namelijk dat hij 'te stom was voor de mulo'.

In de periode dat Tubbing in de kliniek zat bezocht zijn broer Jan hem als enige regelmatig. Zijn moeder kwam volgens zijn verhalen één keer langs, met de boodschap dat haar zoon niet gek was en niet thuishoorde in een gekkenhuis. Wim zou hebben verzocht haar weg te sturen en na de boodschap dat hij moest rusten zou ze inderdaad weer zijn vertrokken.

De kliniek had voor Wim één lichtpuntje: het landgoed van Endegeest, stammend uit de middeleeuwen. Ook het gelijknamige kasteel dateert uit die periode, toen de tuinen nog moestuinen waren en dus een voorzienende functie hadden. Maar vanaf de tweede helft van de achttiende eeuw kreeg men meer oog voor de natuur en kwamen er slingerende paadjes, losse bomen en boomgroepen, die het landschap iets geheimzinnigs gaven. Toen de inrichting werd gebouwd ging de oorspronkelijke aanleg verloren en kwam het kasteel verscholen op het terrein te liggen. Het was juist die ondoorzichtigheid die Wim Tubbing zo aantrekkelijk vond.

Wat Tubbing zelf in de kliniek zei te hebben geleerd was het 'verdringen' van zijn ervaringen. Hij leerde het verleden te vergeten en depressies en angsten te onderdrukken. Hij was verlost van het bewustzijn van zijn trauma's, van de directe psychosomatische gevolgen, maar ze bleven in hem verstopt aanwezig. 'Mijn angst werd in de tweede slaapkuur bevroren. De prikken etsten die angst onwisbaar in mijn wezen', beschrijft hij in *De Herfstaster*, een van zijn andere autobiografische boeken. Daarnaast zou hem in de kliniek elke lust zijn ontnomen om te tekenen en beeldhouwen, zoals hij voor die tijd graag deed. Maar hij vond het niet erg. Het enige wat hij verlangde was een normaal leven.

VOOR DE KLAS. 'IK KEEK DIE GROTE KLAS MET GROTE LUMMELS EENS ROND. WANT LUMMELS WAREN HET'

Bij een normaal leven hoorde normaal werk. Na zijn verblijf in de kliniek volgde Wim Tubbing met de hulp van frater Wibertus een vierjaarse docentenopleiding, die hij met glans afrondde, waarna hij hetzelfde vak beoefende als zijn vader en broer: leraar. In Wims geval in wiskunde, scheikunde en natuurkunde op het Almende College in Ulft. Volgens verhalen was hij een toegewijd docent. Met zijn provocerende houding hield hij zijn leerlingen goed onder de duim. Als hij een nieuwe klas had was het bijvoorbeeld zijn gewoonte meteen te wijzen op zijn scheelheid, met de opmerking dat het geen zin had hem daarmee te pesten, omdat hij dat allang wist. Een efficiënte methode.

Ook tegen ouders was hij direct. Als hij het idee had dat er met een leerling iets aan de hand was, nam hij de ouders apart en besprak de mogelijkheden om bijvoorbeeld een psycholoog te bezoeken. Hij was niet bang te benoemen wat er speelde en leek zijn leerlingen te willen behoeden voor de moeilijke tijd die hij zelf als scholier had gehad, onder meer doordat zo weinig bespreekbaar was geweest. 'Kinderen willen houvast en een stuk veiligheid. Kennelijk voorzag ik daarin en dat is een goed teken', schrijft hij.

Wel maakte hij op school ook de nodige problemen. Zijn directe houding werd niet door iedereen op prijs gesteld. Zelf beschrijft hij een voorval met een leerling die hij 'nadat ik hem zijn mes ontfutselde, alle hoeken van het lokaal liet zien en hem buiten de deur schopte'. Maar daar trekt hij zelf zijn lessen uit, en als het hem de volgende keer lukt een moeilijke klas zonder toonverheffing onder de duim te houden, is hij trots. Met name in zijn korte verhalen beschrijft hij heel openhartig hoe hij voor de klas met zijn woedeaanvallen omgaat, evenals met het wangedrag van zijn leerlingen; 'Mijn beroep heet hoogst eerzaam te zijn, maar soms voel ik me een onschuldig veroordeelde op Duivelseiland.'

Voor veel leerlingen gold hij als vertrouwenspersoon, en na zijn vervroegde pensioen hield hij contact met enkele met oud-leerlingen. Vanwege aanhoudende gezondheidsproblemen stopte hij vervroegd met werken.

HUWELIJK. 'TOEN DE WOORDEN "EN GIJ ZULT ZIJN ÉÉN VLEES" DOOR DE KERK GALMDEN, KLONKEN DIE MIJ ALS EEN VEROORDELING IN DE OREN'

En bij een normaal leven hoorde ook een vrouw. Die vond Tubbing na enkele mislukte escapades via een contactadvertentie. Francisca Ewald, door vrienden Ciska genoemd, door familie Cis. Tubbing doopte haar Francis, wat haar beviel. Hoewel hij vraagtekens had bij hun trouwen, zag hij hun samenzijn als een nieuw begin. Hij kon de grimmige periode van zijn jeugd achter zich laten en zijn eigen leven opbouwen.

Hij vond zelfs een nieuwe familie. Tubbing kwam graag en regelmatig bij de Ewalds over de vloer. Hij keek met bewondering naar de liefde die er tussen de ouders was. Met Francis' zussen en broers, acht in totaal, kon Wim het goed vinden. Vooral met tweelingzus Ans, zus Loes en met broer Jos had hij regelmatig contact. Door deze laatste wordt Wim beschreven als humoristisch, recht voor zijn raap en avontuurlijk. Het viel hem op dat Wim onder de indruk was van wat hij bij zijn schoonfamilie zag.

Veel liet Wim niet los over zijn verleden, maar uit commentaar op gebeurtenissen bij de Ewalds thuis bleek dat in huize Tubbing nooit ergens over werd gesproken. Gevoelens, alles wat pijnlijk was, ging de doofpot in. Voor Wim, die gevoelig was en de dingen zo graag bij hun naam noemde, was dit extra moeilijk. Bij de Ewalds werd hem extra duidelijk wat hij thuis had gemist, hier zag hij hoe het óók kon.

Maar het ontbrak het huwelijk aan iets essentieels. Door Tubbings problemen op seksueel gebied bleef zijn relatie met Francis platonisch. Kinderen, een wens van beiden, kwamen er niet.

Tubbing bezoekt verschillende specialisten om van zijn probleem af te komen, maar niets helpt. Als hij op 53-jarige leeftijd, inmiddels met pensioen, op de televisie een programma ziet waarin de methode van professor Jan Bastiaans wordt genoemd, die in zijn kliniek mensen met een diepgeworteld trauma succesvol zei te behandelen en te bevrijden van hun blokkades, besluit hij ook deze kans te wagen. Hij ziet het als een laatste poging om zijn huwelijk, of meer specifiek, zoals het zelf noemt, zijn 'man-zijn', te redden.

Maar voor zijn huwelijk werkt de traumabehandeling averechts. Francis en hij raken verder van elkaar verwijderd. Na ruim vijfentwintig jaar zijn vrouw het niet langer vol. Ze kan geen kinderen meer krijgen, maar heeft iemand anders ontmoet en wil scheiden.

Voor Wim is het een grote klap. Met de familie Ewald houdt hij contact, Francis verliest hij gaandeweg uit het oog.

BASTIAANS. 'DE KLEUR- EN VORMVERANDERINGEN ZIJN HET MINST BEANGSTIGEND'

Na zijn ervaringen in de Jelgersmakliniek was het voor Wim Tubbing een hele stap om weer in therapeutische behandeling te gaan. Dat Bastiaans' praktijk bovendien gevestigd was in een dependance van de Jelgersmakliniek was aan de ene kant bezwaarlijk, vanwege Tubbings slechte herinneringen aan zijn verblijf daar, maar had ook weer die aantrekkelijke kant: het nabijgelegen landgoed Endegeest. Hij beredeneerde dat hij niets te verliezen had en waagde de gok. Op het intakegesprek werd hij nog eens gewaarschuwd: als hij er eenmaal aan beginnen zou, kon hij niet meer terug. Hij bleef.

Jan Bastiaans (1917-1997) was een nogal omstreden figuur. Hij begon zijn studie geneeskunde in 1936. Tijdens de bezettingsjaren zag hij hoe studiegenoten en vrienden werden afgevoerd en verdwenen. Hij ging het verzet in, maar kreeg gezondheidsproblemen en kon niet veel meer doen. In 1957 promoveerde hij op het proefschrift over 'psychosomatische gevolgen van onderdrukking en verzet', waarna hij zich specialiseerde als zenuwarts en hoogleraar psychiatrie in de behandeling van volwassenen met een concentratiekampsyndroom (KZ-syndroom, tegenwoordig wordt meer algemeen gesproken van posttraumatische stressstoornis, ofwel PTSS).

Aanvankelijk genoot Bastiaans veel aanzien, ook internationaal. Zijn film *Begrijp je nu waarom ik huil?*, waarin een kampslachtoffer vertelt wat hij heeft meegemaakt, zorgde voor een nieuwe kijk op slachtoffers van de Tweede Wereldoorlog. Tot de Nederlandse bevolking drong door hoe erg het was geweest, en hoe weinig opvang er tot dan toe was geweest.

Bastiaans trad in deze tijd op als beleidsadviseur van de

Nederlandse regering en als nationaal geweten. Op de televisie was hij een veelgevraagd deskundige. Zo voorzag hij de treinkaping door Molukse jongeren in 1975 van commentaar en speelde hij een rol bij de gebeurtenissen rond de Drie van Breda, drie oorlogsmisdadigers die een levenslange gevangenisstraf uitzaten, totdat minister van Justitie Van Agt in 1972 pleitte voor vrijlating.

Bastiaans was in deze tijd directeur van de Jelgersmakliniek en een van de oprichters van Centrum '45, een instituut voor traumaslachtoffers van de Tweede Wereldoorlog. In die tijd bestond voor deze mensen nog geen opvang. Maar toen het centrum in 1973 in Oegstgeest werd geopend, zorgden Bastiaans' tegenstanders, die gestaag in aantal toenamen, ervoor dat hij geen directeur kon worden.

Deze tegenstanders had Bastiaans te danken aan de even beroemde als omstreden methode-Bastiaans, die inhield dat hij patiënten behandelde met penthotal of lsd. Lsd is van oudsher bedoeld voor psychiatrisch gebruik, maar werd in de jaren na de oorlog door jongeren ontdekt als drug. Het staat erom bekend dat alles erdoor wordt opgebroken, elke weerstand komt te vervallen en alle emoties komen aan de oppervlakte. En dat was precies wat Bastiaans bereiken wilde; door het toedienen van lsd wilde hij patiënten hun verdrongen herinneringen doen herbeleven, met het doel ze ermee in het reine te laten komen. Toen lsd in 1966 werd opgenomen in de Opiumwet, werd er een uitzondering gemaakt voor Bastiaans, zodat hij de enige in Nederland was die de drug mocht toedienen. Voorwaarde was dat hij schriftelijk zou rapporteren wat hij precies deed.

De professor ging als volgt te werk. In een sessie vertelde de patiënt wat er gebeurd was, maakte het opnieuw mee, en Bastiaans speelde rollen om het nog echter te laten lijken. De gesprekken werden op tape opgenomen en later voor de patiënten afgespeeld, steeds opnieuw, zodat ze zouden wennen aan hun eigen verhaal.

Was lsd in deze sessies in eerste instantie een laatste redmiddel, steeds vaker en veelvuldiger werd het door Bastiaans toegediend. In de jaren zeventig breidde zijn patiëntengroep zich uit. Niet langer kwamen alleen mensen met KZ-syndroom in aanmerking, ook mensen die op een andere manier getraumatiseerd en geblokkeerd waren geraakt, zoals Tubbing, konden nu bij hem in behandeling.

Ondertussen raakte Bastiaans steeds meer in opspraak. Er was een schandaal rond zijn behandeling van PvdA-senator Eibert Meester, die een verzetsverleden verzon waarover Bastiaans in 1975 een boek schreef. Toen het boek al uit was, maakte de ex-echtgenote van Meester bekend dat haar man alles uit zijn duim gezogen had. Bij academici raakte Bastiaans uit de gratie.

Maar tegenover zijn tegenstanders stond een intensieve lobby vanuit het voormalige verzet. Bastiaans had contacten aan het Nederlandse hof, in het bijzonder met prins Bernhard, waardoor het vrijwel onmogelijk was hem beperkingen op te leggen. Binnen de regering en bij de Inspectie voor de Volksgezondheid, waar de twijfel over Bastiaans' manier van werken ook groeide, wilde bovendien niemand de geschiedenis ingaan als degene die een stokje stak voor een intensieve behandeling van oorlogsslachtoffers.

Bastiaans kon dus vrijwel ongestoord zijn gang blijven gaan, en in de vroege jaren tachtig trok hij zich met een aantal medewerkers terug in de dependance van de Jelgersmakliniek. Ook na zijn vertrek als directeur van de kliniek, op 31 december 1982, toen hij 65 was geworden, bleef hij dit gebouw gebruiken voor behandelingen. Dit is de tijd dat Tubbing er regelmatig verbleef. Er ontstond in die periode een soort gesloten gemeenschap, waarbinnen patiënten extreem afhankelijk waren van Bastiaans, die ze ook wel Pa Bas noemden, zonder dat er controle was van buitenaf. Er werden Kamervragen gesteld. Bij een onderzoek door de

Inspectie voor de Volksgezondheid bleek dat Bastiaans zich niet had gehouden aan de voorwaarde die hem was gesteld om zijn werk met lsd te kunnen voortzetten. Er bestonden slechts zestien patiëntenverslagen, terwijl hij honderden getraumatiseerden in behandeling had gehad.

Nadat bekend was geworden dat tijdens een behandeling in 1993 een drugsverslaafde vrouw na toediening van ibogaïne was gestorven, kreeg Bastiaans een verbod op het gebruik van lsd en werd hem door het medisch tuchtcollege ook een verbod opgelegd op uitoefening van zijn ambt.

Bastiaans bleef altijd beweren dat het overgrote deel van zijn patiënten baat had bij zijn behandeling, en degenen die door hem behandeld waren, althans degenen die erover spraken, beaamden dit vaak. Zo ook Tubbing. De professor zelf vond hij niet bijster sympathiek. Hij beschrijft hem als ijdel, gesteld op publiciteit en erg ongeduldig. Maar aan het eind van zijn leven denkt hij met weemoed terug aan de 'middeleeuwse martelmethode', de uiterst pijnlijke maar weldadige massages van de professor, die als enige in staat was zijn migraine in tien minuten draaglijk te maken. En hij voelde zich inderdaad door hem bevrijd, zij het niet met het effect waarop hij had gehoopt.

De bevrijding had voor Tubbing wel een heel ander, onverwacht effect, namelijk dat hij een bezigheid herontdekte die zijn leven vroeger betekenis gaf en dat opnieuw zou gaan doen: het stelen van hout. Over het seksuele aspect van zijn trauma merkt Tubbing op dat dit niet in het interessegebied van Bastiaans leek te liggen; hij ging er simpelweg niet op in, zoals ze zijn vragen erover bij de Jelgersmakliniek onbeantwoord hadden gelaten, en zoals hij de problemen met zijn vrouw niet besprak. De hoop zijn 'man-zijn' terug te vinden gaf hij na zijn ontslag bij Bastiaans definitief op.

SCHRIJFAMBITIES. 'HET SCHRIJVEN ZELF WAS GEEN ONDERDEEL VAN MIJN PROBLEEM. DAT MIJN WERK NIET UITGEGEVEN WERD WEL'

Er waren nog twee andere veranderingen die Tubbing aan Bastiaans te danken had. Ten eerste: hij kon weer huilen. De laatste keer dat hij gehuild had, schrijft hij, was toen tijdens zijn verblijf in het internaat in Voorhout zijn verjaardag ongemerkt voorbijging. Naast de martelmassages van Bastiaans en het gebruiken van medicijnen, wat Tubbing liever niet deed, bleek huilen de enige remedie tegen een hevige hoofdpijnaanval.

De opluchting die een huilbui veroorzaakte ging bovendien gepaard met het vermogen tot 'intiemer contact'. Hij was niet, zoals hij gehoopt had, van zijn potentieproblemen afgeholpen, maar tijdens zijn verblijf in de kliniek bouwde hij een paar goede vriendschappen op, waaronder ook enkele met vrouwen.

Het andere belangrijke dat Tubbing aan de therapieën van Bastiaans dankte was zijn behoefte te schrijven. Tijdens zijn verblijf in de Jelgersmakliniek, ruim dertig jaar eerder, verging hem, zoals hij het zelf beschrijft, alle behoefte tot creativiteit, die hij daarvoor wel had gevoeld. Maar sinds Bastiaans hem aanraadde zijn ervaringen en herinneringen op te tekenen om ze te kunnen verwerken, bracht hij hele dagen door achter de computer, later vanwege oogproblemen vervangen door de typemachine. Zijn eerste gedicht ontstond direct na een lsd-sessie, wanneer de patiënt werd geacht te rusten. In plaats daarvan drong Tubbing aan op pen en papier en begon te schrijven. Vanaf dat moment werd het zijn voornaamste bezigheid. Hij was zeer gedreven. In een van zijn manuscripten vertelt hij hoe hij eens op de vluchtstrook werd aangehouden toen hij de auto had stilgezet om onmiddellijk een gedicht te noteren dat hem te binnen was geschoten. Het zou zijn streven zijn geweest om vijf à zes bladzijden per dag te schrijven.

Tubbing schreef romans, verhalen en gedichten. Hij zat soms al om vijf uur 's ochtends in zijn werkkamer, een hoekkamer van zijn huis aan de straatkant. Dat, wandelen en aan zijn woning klussen vormden zijn bezigheden als hij niet op reis was. Ook over zijn reizen schreef hij. Dat elk boek dat hij schreef 'alleen maar pijn opleverde', zoals hij ergens opmerkt, belette hem niet om steeds maar door te gaan.

De pijn had waarschijnlijk ook te maken met het feit dat zijn werk weinig weerklank vond. Na vele standaardafwijsbriefjes en enkele verhitte telefoongesprekken besloot Tubbing zich niet langer zelf bezig te houden met het slijten van zijn werk. Hij schakelde er anderen voor in. Meestal stelden die hem teleur, of het nou kwam doordat ze niet genoeg hun best deden of doordat het resultaat uitbleef. Jos Ewald, zijn ex-zwager, bracht de uitgeprinte romans onder bij de Koninklijke Bibliotheek. Hij kreeg driehonderd euro mee om 'dat te regelen in Den Haag', en van wat overbleef trakteerde Wim Tubbing Jos en zijn vrouw Winnie op 'een feestelijke pannenkoek'.

Als Wim Tubbing respectievelijk 65 en 72 is, verschijnt er twee keer een artikel over hem en zijn schrijfambities in de krant, voorzien van foto en geschreven door Peter Aansorgh, de journalist die in *Brandhout* ook een paar keer wordt genoemd en die eerder dit jaar overleed. Aansorgh was schrijver en columnist voor plaatselijke kranten, waaronder *Gelders Dagblad*, en had Wim Tubbing al eens ontmoet toen ze in 1991 beiden meededen aan een poëziewedstrijd, die Aansorgh won.

De journalist typeert Tubbing als een bijzondere, onconventionele en humoristische man, die op de vraag hoelang hij nog wil schrijven oprecht verbaasd reageert met: 'Had je evengoed kunnen vragen: hoelang wil je nog doorgaan met leven?' Tubbing laat hem niet vertrekken zonder verschillende passages uit verschillende boeken te hebben voorgelezen. Over de kwaliteit ervan laat de journalist annex dichter zich niet uit.

Op de vraag wie Tubbing bewondert zegt hij bijvoorbeeld het werk van Anna Enquist te kunnen waarderen. 'Levendig, beeldend, zonder franje. Daar houd ik van.' Mulisch en Komrij vond hij niets. Tubbing was ook als auteur waarschijnlijk niet snel onder de indruk, in het bijzonder niet van grote namen. In het tweede interview vergelijkt Tubbing succes met de wind: 'Ach, zou ik beroemd willen zijn... Beroemdheid is als de wind. Opeens is-ie er, en dan is-ie er weer niet.'

Voor zover ik heb kunnen nagaan schreef Tubbing in vijftien jaar 4172 bladzijden. Dat zou drie kwart pagina per dag betekenen.

REIZEN. 'KIJKEN ACHTER DE HORIZON OF DAAR MISSCHIEN WAT TE BELEVEN VALT. GEHOOR GEVEN AAN DE ZOETE LOKTONEN VAN DE VERTE'

Na de scheiding van Francis ontdekte Tubbing nog een andere passie: reizen. Een kleine obsessie, noemt hij het zelf. Meestal ging hij niet alleen, maar in een georganiseerde reis en maakte hij zich zo nu en dan los van de groep om in zijn eentje wat rond te dwalen. Het lijkt erop dat hij zich op zijn reizen in een soort niemandsland waande, weg van al het bekende, alles wat hem beklemde. Hij zoekt bewust het avontuur op. Raakt in Peru in gevecht met een groep mannen die hij weet af te weren, smokkelt een wapen mee uit Zuid-Amerika en vanuit Vietnam slaagt hij erin een gestolen beeld mee de grens over te krijgen. Hij werd getrokken door het verre en onbekende. Na onder meer Singapore,

Peru, Bolivia, Nieuw-Zeeland, Alaska en de Filipijnen te hebben bezocht, stonden aan het eind van zijn leven Jemen en Ethiopië nog op zijn verlanglijst.

In Nederland compenseerde Tubbing zijn zwerfbehoefte door veel te wandelen. Vooral Slangenburg, een landgoed niet ver van zijn huis in Terborg, trok hem erg. Hij verliet het liefst de paden en zwierf dan urenlang rond. De boswachter van Slangenburg herinnert zich hem goed, ook omdat hij hem regelmatig wegstuurde wanneer hij weer eens aan de haal was met de boomstammen, die in het kapseizoen, zo tussen november en maart, door Staatsbosbeheer langs de kant van de weg werden gelegd om te worden opgehaald.

Slangenburg was voor Tubbing een heel belangrijke plek. Hij kon er huilen, zijn gedachten ordenen en tot rust komen. En hout halen.

TOT SLOT

Het contrast tussen de avontuurlijke wereldreiziger en het beeld dat Tubbing van de laatste periode van zijn leven schetst is groot. Hij was eenzaam, blij als iemand belde, betreurde de mensen die overleden waren en die hij beter had moeten behandelen, en dacht steeds vaker terug aan Francis. In de buurt was hij een opvallend persoon. Hij droeg doorgaans een leren broek en een rood jack. Hij oogstte bewondering doordat hij zijn eigen zonnepanelen had gebouwd (ook hiermee haalde hij de plaatselijke krant). Maar veel contact met buurtbewoners had hij niet.

Dat een van zijn vertrouwenspersonen een advocaat was, is tekenend voor zijn houding tegenover de buitenwereld. Hij lag vaak met anderen in de clinch, bijvoorbeeld met de leverancier van elektriciteit, of met verkeersagenten. Of de boswachter. Bij zijn deur hing een opvallend rood bord met daarop de mededeling: 'Meteropnemers, politie (óók in uniform), gemeenteambtenaren e.d.: legitimatiebewijs mét foto gereed houden.'

De advocaat, André Ruiter, had zijn vertrouwen gewonnen. Wim kwam hem regelmatig om deskundig oordeel vragen. Hun contact, vertelt André Ruiter, was prettig, ze zochten elkaar ook thuis wel eens op, maar het bleef een advocaat-cliëntrelatie. Volgens Ruiter was Tubbing een groot verteller en had hij een nog groter rechtvaardigheidsgevoel. Vaak ging het hem erom welk onrecht hém was aangedaan, maar hij kon zich ook opwinden over maatschappelijke en politieke kwesties. Hij was, volgens Ruiter, hard naar de buitenwereld en tegen zichzelf, maar dit was volgens de advocaat een manier om zich te kunnen handhaven. Ruiter wordt zowel in de dankbetuiging voor in *Brandhout* als in het boek zelf genoemd, bij voornaam, en kreeg het manuscript ook van Tubbing te lezen.

Los van dit contact had Wim Tubbing enkele vrienden, die hij echter liever niet met zijn sores lastigviel. Hij loste het liever alleen op, door te wandelen of te schrijven. Dat dit een keuze was, maakte hem niet minder eenzaam. Vandaar waarschijnlijk ook dat hij gasthuis Sravana zo dankbaar is dat hij er de laatste maanden van zijn leven verblijven kon.

Dat Tubbing zijn nalatenschap aan het gasthuis doneert, past goed bij zijn levensverhaal. Sravana benadrukt op haar site niet alleen ondersteuning en begeleiding te bieden bij fysieke pijn, maar daarnaast ook oog te hebben voor de spirituele kant. 'Want als het einde nadert en tijd steeds kostbaarder wordt is kwaliteit van leven niet langer alleen te bereiken met medicatie en techniek. Liefde en aandacht zijn dan minstens zo belangrijk. Bij alles wat wij doen willen we vooral eerst luisteren, om zo liefdevolle zorg en aandacht te geven.' Wim Tubbing snakte naar liefde en begrip, waaraan hij, mede doordat hij de dingen zo graag op zijn eigen manier deed, voor zijn gevoel zo vaak gebrek had gehad.

De voorwaarde waaronder Tubbing zijn kapitaal aan Sravana heeft geschonken, namelijk dat zijn creatief werk onder de aandacht wordt gebracht, is al even typerend voor Tubbings karakter. Zijn eigenzinnigheid speelt zelfs door in de manier waarop zijn werk wordt uitgegeven. Via zijn testament krijgt hij uiteindelijk gedaan wat hij de laatste twintig jaar van zijn leven zo vurig wenste. Met dit boek is aan zijn wens voldaan. 'Om mijn sterven huil ik niet, maar omdat ik niet bloeien mocht', schreef hij. Uiteindelijk vond hij een manier om na zijn dood te bloeien.

Laura Weeda
Amsterdam, oktober 2014

Heden is overleden

Wilhelmus Gerardus Tubbing

- Wim -

☆ Doesburg
2 november 1930

† Doetinchem
11 januari 2008

Executeur
Notariskantoor Hofstad & Hendriks
Postbus 10
7080 AA Gendringen

Er is gelegenheid om afscheid van hem te nemen vrijdag 18 januari van 16.00 tot 16.10 in de aula van crematorium Slangenburg aan de Nutselaer te Doetinchem. Aansluitend vindt de plechtigheid voorafgaand aan zijn crematie plaats.

Na afloop van de plechtigheid is er gelegenheid om samen te zijn in de koffiekamer van het crematorium.

Zij die Wim hebben gekend, maar onverhoopt geen kennisgeving mochten ontvangen, gelieve deze advertentie als zodanig te beschouwen.

De Aloisiusschool in Groenlo, waar vader Tubbing lesgaf.

FOTOCOLLECTIE EDUARD SMIT

De ambtswoning bij de school waar Wim Tubbing van zijn zesde tot zijn vijftiende woonde.

FOTOCOLLECTIE EDUARD SMIT

School en ambtswoning van bovenaf. Het schoolgebouw is U-vormig, met daarnaast de ambtswoning. Schuin ertegenover staat de oude Calixtuskerk, die werd geraakt tijdens de bombardementen op 24 februari 1945 in Groenlo.

Klassenfoto van de Aloisiusschool, 1947. Wim Tubbing is de vierde van links op de bovenste rij.

FOTOCOLLECTIE EDUARD SMIT

Wim Tubbing, fragment van een van de weinige familiefoto's die er van het gezin zijn gemaakt, 1943. Hij zat helemaal links en keek als enige de andere kant op.

FOTOCOLLECTIE TUBBING

Het Maarsevonder; het kleine bruggetje dat Wim Tubbing oversteekt om bij de houthakbosjes te komen, ook tijdens 'de nacht van de pasja', een belangrijke scène in *Brandhout.*
Daaronder het Maarsevonder, 2014.

FOTOCOLLECTIE EDUARD SMIT

Het bruggetje is verlegd, maar de sporen van de rails van het leemtrammetje waar Tubbing over schrijft zijn nog zichtbaar.

De bisschoppelijke nijverheidsschool in Voorhout, het internaat waar Wim Tubbing – zeer tegen zijn zin in – na de dood van zijn vader geplaatst werd.

De Leo-Stichting in Borculo. Hier kwam Tubbing vervolgens terecht.

Tubbing in 1961: dertig jaar.

FOTOCOLLECTIE TUBBING

Wim en Francis Tubbing bij het trouwen van zwager Jos. Op de bovenste foto staan ze als vierde en vijfde van rechts. FOTOCOLLECTIE EWALD

Wim (bovenste rij in zwart vest) en Francis (eronder, in roze jurk) op een familiefeest van de Ewalds. FOTOCOLLECTIE EWALD

Professor Jan Bastiaans voor de Jelgersmakliniek. Bij hem ging Tubbing in traumabehandeling.

Boven: de Jelgersmakliniek, waar Tubbing vanaf zijn vierentwintigste twee keer een periode verbleef.
Onder: het landgoed Endegeest, het enige wat Tubbings verblijf in de kliniek voor hem draaglijk maakte.

DIGITAAL FOTOARCHIEF GEMEENTE OEGSTGEEST

Schrijven 'moet' voor Wim Tubbing

♦ *Schrijver Wim Tubbing achter zijn werktafel: 'Ik ben een zwerver'. (Foto Jan van den Brink)*

Iedereen heeft wel een plek die hem of haar na aan het hart ligt. Een plaats waar het goed toeven is. Voor de een is het een plek waar veel mensen komen. De ander kiest juist voor een rustige ambiance. Hoe dan ook, bij zo'n plek hoort een verhaal. Een persoonlijk verhaal -vaak doorspekt met herinneringen- die alleen de kenner kan vertellen. In de rubriek De Plek komt iedere week iemand aan het woord over zijn of haar geliefde plek. Vandaag Wim Tubbing (65) uit Terborg, over zijn 'vaste plaats' achter de typemachine.

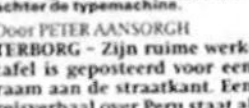

Door PETER AANSORGH

TERBORG – Zijn ruime werktafel is geposteerd voor een raam aan de straatkant. Een

komt wel eens voor dat ik hier 's morgens om vijf uur al zit. Dit is mijn plek. Hier krijgen mijn verhalen vorm. Vijf, zes bladzijden per dag is mijn streven."

„Keurig toch, zo'n tekst", lacht Tubbing, „eigenlijk had ik in de plaats van e.d. de woorden: 'en ander gespuis' willen laten drukken. Maar ik dacht, laat ik het beschaafd houden."

Via de keuken op weg naar de warme kamer (waarin een forse allesbrander duchtig knapt) die bezaaid ligt met stapels papier, boeken, mappen, volgeschreven schrijfblokken en andere paparassen, graait Tubbing een pakje van een schap. „Kijk eens, lekkere koeken voor bij de koffie. 'Kletskoeken' staat er op."

De schrijver (vroeger docent wis-, natuur-, en scheikunde)

-door Tubbing geschreven- polsdikke roman. 'Het onzichtbare beton', Deel 3, staat op het kaft, door W.G. Tubbing. „Dat al zijn bij elkaar meer dan zevenhonderd pagina's. En op het ogenblik is een kennis van mij de uitgeverswereld aan 't polsen voor mijn reisverhalen."

Tubbing (zwarte lederen broek, wijnrode schipperstrui, brede zilveren halsketting, opvallend jeugdige verschijning) is naast bijzonder mens, flexibel causeur en typisch non-conformist, ook beslist een humorvol man met een opmerkelijk 'huis-jargon'. Zo duidt hij de allesbran-

zwerven. Ik ben een zwerver...", mompelt hij, in gedachten verzonken naar de vogelvoederplaats in zijn tuin starend. „Pimpelmezen, merels, roodborstjes, groenlingen, ze komen allemaal eten. Vietnam, Argentinië, Chili, Bolivia..., Singapore is een griezelige stad. Als je daar op de grond spuugt krijg je honderd dollar boete."

En dan weer peinzend richting venster: „Ik hoop dat mijn werk uitgegeven wordt. Hoe zou het zijn om beroemd te wezen? Wil je nog een koek? Ach..., beroemd zijn... Het is als met de wind: die is er opeens en dan is-ie er weer

Artikel in *Gelders Dagblad* over Tubbings schrijfambitie, 1996. Geschreven door Peter Aansorgh. FOTO: JAN VAN DEN BRINK

Slangenburg, het landgoed waarover Tubbing schrijft dat het zijn leven redde. Hij ging er regelmatig wandelen. In de greppels naast de bomenrijen verborg hij hout van Staatsbosbeheer mee naar huis te nemen.

Wim Tubbing, 2001. Zo kende men hem later in zijn leven: zwarte leren broek, schipperstrui, en hij droeg er graag iets roods bij.

FOTO HANS GROENE, GEMAAKT VOOR *GELDERS DAGBLAD*

De foto van Wim Tubbing die op zijn graf stond, een van de laatste foto's die van hem genomen zijn. FOTOCOLLECTIE TUBBING

BRANDHOUT

W.G. Tubbing

Dank ben ik verschuldigd aan:
Mr. A. Ruiter, advocaat en procureur
Kees Kettenborg, psychotherapeut en counselor
Jan den Ouden, cultuurhistorisch uitgever
Zij gaven mij goede raad of positieve kritiek.

Geraadpleegde literatuur:

Handboek van de Tweede Wereldoorlog, Uitgeverij Spectrum
Het drama van het begaafde kind, Alice Miller
(psychoanalytica)
Isolement en bevrijding, prof. dr. J. Bastiaans
(traumatoloog)

Proloog

Verwonderen, dat is verleden tijd. Niemand verwonderde zich nog. Niet wanneer we zagen dat een Joodse medebewoner voor de maaltijden zenuwachtig heen en weer liep, in de angst dat er een *Selection* zou komen en het voedsel om een of andere reden niet zou worden verstrekt. Niet wanneer we zagen dat iemand tijdens de avondmaaltijd bezig was voedsel weg te moffelen, in de overtuiging dat er de volgende ochtend als koffie alleen smerig water zou zijn, en dat na een urenlang appel. Niet als een van ons urenlang onder het bed zat weggekropen met de kruk van een kamergenoot als geweer, waarmee hij zich verdedigde tegen de afwezige vijand. Niet wanneer iemand angstig als een muzelman de keuken kwam binnen geslopen, waar soms nachtenlang werd gerummikupt, bang er ss'ers aan te treffen die hem met zwepen richting de gaskamer zouden slaan. Niet wanneer een huisgenoot tegen de muur stond, de handen geklauwd als omvatten ze het genadige puntdraad met hoogspanning.

Ook de professor verwonderde zich niet. Hij speelde het spel mee, bracht de geëlektrocuteerde naar de kuil met lijken (zijn of haar bed) en probeerde de gevangene in de eerstvolgende 'zitting' weer mens te maken. Soms vroeg iemand in zo'n zitting van hoe hoog hij moest springen om eindelijk rust te hebben. Ook daar keken we niet van op. Heel even waren we er stil van als we vernamen dat een lotgenoot de dood had verkozen boven voortleven in een nooit eindigende angstpsychose. Dan gingen we weer door.

Zo ook verwonderde niemand zich erover dat ik eind februari 1987 tot mijn borst in het water stond omdat een esdoorn in de wetering van het park was gedonderd, en het me niet lukte het gebeuren te negeren en die boom rustig aan zijn lot over te laten.

We waren in het reusachtige, gevaarlijke maar o zo aantrekkelijke park van de Dependance, het behandelcentrum in Oegstgeest, vlak bij de psychiatrische inrichting van de gemeente Leiden. Een park dat mij mateloos boeide, maar er ook verantwoordelijk voor was dat een lang vergeten plicht ineens weer hoogst actueel werd.

In de Dependance behandelde de professor concentratiekampslachtoffers. Daar deed hij althans oprechte pogingen toe. Een vrouw, die als kind door een leidster van een tehuis keer op keer kopje onder werd geduwd in een badkuip vol met water, met het doel haar volgzaam en gedwee te maken, probeerde hij te leren dat stroomdraad dient om vee mee binnen het weiland te houden, niet om jezelf in vrijheid te stellen. Hij probeerde zijn patiënten te laten zien dat niet elk grasveld een mijnenveld is en niet elk struikgewas een hinderlaag. Hij probeerde ons te laten begrijpen dat de wapenstilstand een feit was, de oorlog voorbij. Zo ook was een van zijn doelen met mij mijn angstpsychoses te doorbreken of hanteerbaar te maken en de veelvuldig optredende blokkades, onder meer van mijn stem, op te heffen.

De kliniek zelf was een oud maar riant gebouw, een voormalig jachthuis in dat immense park vlak bij Centrum '45 en de Jelgersmakliniek. De professor werkte samen met een internist en een huisarts, een aantal psychologen en Richard, de man van de creativiteit. Dan waren er nog verpleegkundigen en de huishoudelijke staf.

Hij had zo zijn eigen methodes. Was het trauma redelijk recent en leek het niet al te ernstig, dan probeerde hij het met normale gesprekken. Maar dat was zelden vruchtbaar. In de periode dat ik er was, ruim een jaar, volstonden die gesprekken geen enkele keer. De volgende stap volgde meestal dan ook vrij vlug, en bestond uit een behandeling met natriumthiopental, een narcosemiddel en tegelijk een waarheidsserum. In jargon heet dit een narcoanalyse of dieptebehandeling. De professor vond dat waarschijnlijk wat geladen klinken en sprak van een roesje. Wij patiënten noemden het een zitting.

Er waren ook zittingen met ketalar, dat iets agressiever was in de uitwerking en hallucinerend werkte. De soms letterlijk dichtgeslagen patiënten werden tot uiten gebracht met lysergeenzuurdi-ethylamide, ook wel lsd.

Een zitting, of narcoanalyse, was eigenlijk een vrij aangename ervaring. Je werd in bed gestopt, kreeg een naald in de linkerarm, aan de binnenkant van de elleboog, waar de band vlak boven was vastgemaakt; afgestemd op je gewicht en incasseringsvermogen werd een hoeveelheid natriumthiopental in de arm gespoten. De band werd weer losgemaakt en het was alsof een zachte veer je over de borst aaide, net zo lang tot je in slaap viel. Die slaap duurde ongeveer een kwartier, en de zogenoemde ontwaakcurve die volgde verliep zonder angst, en 'zonder zielenpijn'.

Hierop volgde een sessie van anderhalf uur waarin de professor en zijn medewerkers probeerden te achterhalen wat het was dat jouw leven verziekte. De bevindingen werden opgenomen op band, die je altijd afluisterde in gezelschap van een begeleider, een psycholoog of een ervaren verpleegkundige. Zo raakte je langzaam vertrouwd met de verhalen die je hoorde en leerde je, dat was althans de bedoeling, omgaan met de ellende die je meegemaakt had.

Met lsd was het anders. Je lag niet in bed maar zat op een stoeltje, en werd helemaal doorgelicht, alsof ze erop uit waren je te breken. Wat in zekere zin ook zo was. De patienten die hieraan deelnamen waren de hopeloze gevallen bij wie het trauma zo diep zat en de weerstand om het opnieuw te beleven zo groot was dat deze uitzonderlijke behandelwijze volgens de professor de enige manier was.

Bij mij had zo'n geestverruimende sessie in april 1987 tot gevolg dat ik inzag dat mijn seksuele blokkade met natrium-thiopentotal niet op te heffen was. Daarmee blijft zoiets verborgen in de rommelhoek van je geest, weg van de oppervlakte. Maar nu zag ik het helder in, en dat inzicht zorgde voor totale ontreddering.

Ik ging in die periode om met Anne, enkele jaren jonger dan ik. Toen ze nog klein was genoot haar vader van het geluid en de uitwerking van een bamboestokje op de huid van zijn naakte kinderen. Dat duurde tot haar twaalfde, toen namen de jappen het van haar vader over. Ook zij koos uiteindelijk voor de dood.

Mijn uiteindelijke redding lag in mijn creativiteit. De blokkade van mijn stem kan ik accepteren. Die is niet permanent, de remedie is simpel: wachten. De blokkade van mijn seksualiteit is blijvend en het meest pijnlijk. Maar ik kan er weer om huilen, en affectie verdragen. Ik leerde rouwen over mijn leven. Dat is mijn winst.

En nog een winst: de mening van anderen doet me niks meer. Wat een vrijheid. Mijn vrienden zijn me heilig. De rest kan me niet schelen.

Eén ding is onveranderd gebleven, zelfs na de dieptebehandelingen en lsd-sessies, namelijk de dwang om mijn plicht te doen, een plicht die bestaat uit het halen (lees: jatten, stelen) van hout. Brandhout, voor de kachel. Hoewel ik tegenwoordig gewoon hout kan kopen en dat ook wel eens doe, geeft het kopen van hout mij geen rust. Om uit te leggen hoe dat komt moeten we terug in de tijd. Ik stop een stuk hout in de open haard – legaal hout, want de boswachter hier is een oud-leerling en vriend van me –, en neem u mee naar de tijd waarin dit alles begon: de oorlog. Of de beschreven gebeurtenissen echt hebben plaatsgevonden dan wel dromen of hallucinaties waren, kan ik met geen mogelijkheid zeggen. Maar zeker is dat ik ze heb beleefd. In technicolor.

EEN

1942-1946. De blik op oneindig

Moeizaam sleepte ik de Duitse bolderkar achter me aan door het natte zand. Ik was die ochtend wakker geworden van de druppels die tegen mijn slaapkamerraam kletterden, en sindsdien was het niet meer opgehouden met regenen. Nu pas leek de lucht eindelijk open te breken en tekenden zich aan de hemel hier en daar bleke stukken blauw af tegen de donkere wolken.

Ook de gejatte elzenstammen waarmee ik de kar had volgeladen waren drijfnat. Het hout was afkomstig uit het bos van boer Geesink.

De stukken blauw boven me maakten de omgeving vriendelijker, maar mijn werk riskanter. Er zouden nu meer mensen naar buiten komen, en ik was minder beschut.

Mijn maag knorde, het moest tegen het middaguur zijn – hoewel een knorrende maag een weinig betrouwbare tijdmeter is, helemaal als de bloedsuikerspiegel te laag wordt. Het organisme trekt zich weinig aan van de klok. Over een klein halfuur zou ik klaar zijn. Maar dan zat mijn taak er nog niet op. Het hout moest op kachellengte worden afgezaagd, ongeveer 30 centimeter. Mijn lichaam protesteerde tegen de te grote last, maar daar was ik me nog niet van bewust.

Zacht rammelde de botte hiep tegen de al even botte

zaag, tot het me echt begon te irriteren en ik de hiep met een boze ruk wat verplaatste. Gelukkig, de zon brak nu echt door, ik voelde de welkome warmte.

Het was februari 1943. Oorlog. Natuurlijk was het oorlog, we wisten al niet beter meer. Die oorlog was bovendien de aanleiding dat ik daar liep. Niet alleen vandaag, om de twee, drie dagen maakte ik ditzelfde tochtje. De stompjes van de elzen vertelden inmiddels hoeveel lotgenoten onder mijn botte zaag gesneuveld waren. Ik vroeg me weleens af of de mensen die aan de weg woonden me nooit zagen sjouwen. Die van de St. Jorishoeve bijvoorbeeld, waar ik af moest slaan om bij het bos te komen. Zouden mijn tochtjes ze echt keer op keer ontgaan?

Vanaf mijn werkplaats daar vlakbij kon ik de windturbine zien draaien, een nieuwe uitvinding. In mijn schaarse vrije tijd experimenteerde ik met een oude fietsdynamo en stukken blik. Daar stopte ik mee toen een gloeiende spijker een scherf uit de schoorsteen sloeg. Ik besmeurde de beschadiging met wat modder en vuil, zodat zelfs de kritische kijker hopelijk niks zou zien.

Het huis kwam in zicht. Ik ontlaadde de kar en keek binnen of moeder het eten al klaar had. Ze was nog bezig en mopperde dat het hout te nat was en de aardappelen maar niet gaar wilden worden. Op het menu stonden behalve aardappelen alleen bruine bonen en lawaai-jus. Zelf vond ik dat geen punt, maar de anderen wilden graag vlees, dat er niet was.

Na het eten zaagde ik het hout in stukken, op kachellengte, en dacht ik eindelijk even rust te hebben. Maar mijn taak voor de volgende dag werd alweer bekend gemaakt. Er moest havermout worden gehaald, door mij, want ik wist waar nog wat te koop was. Overmorgen zou er weer iets anders te doen zijn. Mijn zussen en broers kregen onderwijs, thuis, van vader, en op school. Alleen ik werd steeds op pad gestuurd voor hout of wat dan ook. Tot op de dag van vandaag weet ik niet waarom ik het steeds moest zijn. Ik kan redenen verzinnen, maar dat heeft weinig zin. Of misschien toch wel. Misschien verschaft dit verhaal mij inzicht. Heel misschien.

'S Avonds in bed telde ik de keren dat ik dat tochtje naar het bos van boer Geesink al had gemaakt, net zo lang tot ik in slaap viel. Enkele uren later werden we alweer door sirenes gewekt. Luchtalarm. Ook dat waren we inmiddels gewend. Na afloop kropen we terug in onze afgekoelde bedden. Maar dit vond ik niet zo erg, het was tenminste eerlijk. Ongemak, maar voor iedereen. Waar een kind al niet tevreden mee is.

De volgende dag reed ik op mijn fiets met tuinslangbanden op weg naar mijn volgende missie en dacht ik opnieuw na over hoe vaak ik dat houtjattochtje al gemaakt had. Het was oktober, de bladeren vielen van de bomen, ik deed dit nu een halfjaar. Hoeveel van die tochtjes nog zouden volgen stond in de sterren geschreven. Ook in de zomer zou ik ermee door moeten gaan, gokte ik, ook dan moest op het fornuis worden gekookt, moest er heet water komen voor de afwas en de wekelijkse wasbeurt. Het varkensvoer moest gekookt worden. Een lange zomervakantie zat er voor mij niet in.

Ik reed een grote kuil in, mijn banden slipten. Ik viel en uit de schrammen op mijn knie welde bloed op. Aflikken en doorgaan. Beter opletten.

Het zat me mee. Niet alleen slaagde ik erin haver te veroveren, bovendien kon ik wat eieren kopen. Dat betekende wel dat ik terug moest lopen met het doosje in de hand, fietsen was te riskant, dat was wel gebleken.

Die zomer zat een vakantie er voor mij inderdaad niet in. Er was besloten dat er een voorraadje moest worden aangelegd. En uiteraard was ik degene die dat moest doen. Waarom ik? Geen vragen. De blik op oneindig.

TWEE

Het vierde en het zevende gebod

Het was bijna maart. Weer was er tergend langzaam een oorlogsjaar vergleden. Hoewel glijden iets van souplesse veronderstelt. Het was voorbijgegaan, strompelend. Het was hoog tijd voor de lente, maar alles stond op zijn kop, er klopte van alles niets meer. Dus waarom zouden de seizoenen zich dan nog wel aan de regels houden? De sneeuwbuien bleven komen en de kou leek rechtstreeks van de polen naar ons toe te stromen.

Vriezend weer kan verkwikkend zijn, als je goed gevoed bent. En al hadden we met een beetje flexibiliteit niet veel te klagen op het gebied van eten, echt goed doorvoed waren we niet.

Mijn leven werd beheerst door elzenhout en voedseltochten. Steeds vaker ook kwam de vraag bij me op waarom ik het altijd maar was die op pad werd gestuurd. Die vraag drukte ik dan meteen uit alle macht weer terug naar waar hij hoorde en moest blijven: de vergetelheid. Dat lukte niet helemaal, de vraag begon een eigen leven te leiden aan de rand van het bewuste. Later zou hij terechtkomen waar hij hoorde, heel even.

Aan de tochtjes beleefde ik al een tijdlang geen plezier meer. In het begin was het even spannend geweest: goh, niet naar school. Niet naar die rotzak van een 'Potlood'. (Dat was onze onderwijzer: een rotzak.) Maar de spanning vervloog al snel en de tijd sleepte zich voort, heel langzaam. De dagen werden langer zonder dat het weer verbeterde. Voor mijn taak vomde het een zware belasting.

Die bleef ik vol overgave uitvoeren. Ik haalde (stal) zo goed en kwaad als het ging alle elzen uit het bos van boer Geesink. De talloze stompjes verraadden steeds prominenter wat ik aan het doen was, vele ook waren inmiddels alweer overwoekerd door buntgras. Voor de geallieerden was het met dit weer veiliger om onze oosterburen op hun donder te geven, want met dikke laaghangende wolken is de 'Flak'* niet bijster effectief.

Op een dag, als ik het me goed herinner was het de 27e, ging ik weer op pad om een kar hout te 'organiseren'. Met lood in mijn schoenen. De school stond op dat moment leeg, er zaten geen gasten in. Na een weekend hard werken kon het gebouw weer daadwerkelijk dienstdoen als school. De verwarming brandde zelfs, had ik me laten vertellen. Maar ik hoefde niet naar school. Ik moest brandstof halen. Ik kreeg een dubbele boterham mee, wat mijn gevoel dat het niet klopte alleen maar versterkte. Maar wat kon ik doen. Ik was dertien.

De hiep en de zaag waren botter geworden, de kar leek zwaarder dan eerst. Maar de elzen vielen, al kostte het me steeds meer moeite. Ik sneed de stam ondiep in en hakte daarna rondom hout weg, richting de zaagsnede, totdat de boom als het ware nog maar op één punt stond en zich, als hij iets scheef stond, met wat inspanning omver liet duwen. Vervolgens moesten de stammen in vervoerbare stukken worden gezaagd. Dat was zo'n intensief werk dat ik niets merkte van wat er om me heen gebeurde. Tot ik uit mijn concentratie werd opgeschrikt.

---

* Flak: Duitse luchtdoelartillerie.

'Wat moet jij hier?'

Achter mij stond iemand met een hoedje op waar een veertje in stak, zodat ik meteen wist dat het de boswachter moest zijn. Eigenlijk, bedacht ik later, was het een wonder dat ik al zo lang aan het gappen was zonder dat iemand me ooit op heterdaad betrapte. Die gesloopte elzen moesten toch iemand opgevallen zijn.

Ik antwoordde niet, was niet assertief genoeg om hem te vragen wie hij dan wel niet was en wat hem het recht gaf mij te vragen wat ik daar deed. Maar die informatie volgde vanzelf. Hij was boswachter, naamloos. Het was zijn taak toezicht te houden op het bos, en zo ook over dit perceel. Alleen deed hij dat, helaas voor hem, maar niet voor mij, met erg weinig succes.

Hij vroeg me opnieuw was ik aan het doen was. Nu werd ik iets brutaler.

'Hout zagen, meneer, dat ziet u toch?'

'Ik zie dat er hout gestolen wordt.'

Gestolen? Was ik echt hout aan het stelen? Dertien jaar en een dief?

'Hoe heet jij?'

Ik noemde mijn naam. Even was het stil. Toen klonk het aarzelend: 'Van de bovenmeester*? Van meester Tubbing?'

Ik knikte.

'Een zoon van de bovenmeester steelt hout uit het bos van boer Geesink?'

Weer was het stil, op het gesuis van de wind na. De windturbine van de St. Jorishoeve draaide. Als gedachten van mensen in ballonnetjes boven hun hoofden zouden hangen, dan had ik begrepen wat er aan de hand was, namelijk dat de oudste zoon van de boswachter nog op de mulo zat, terwijl hij eigenlijk al zijn diploma had. Maar van dat laatste waren

---

* Bovenmeester: hoofd van een school, later opgewaardeerd naar directeur.

onze gasten niet op de hoogte. Zolang zijn zoon op de mulo zat hoefde hij niet, nog niet althans, naar Duitsland om zijn deel aan de *Endsieg* bij te dragen. De boswachter wist niet of ik dit al dan niet wist, dus bevond hij zich, zonder dat ik er erg in had, in een lastig parket. Het was zijn taak zijn plicht voorrang te geven boven de gunst die zijn zoon werd verleend. Ondertussen verwonderde ik me alleen maar dat er niets gebeurde.

'Jij weet toch dat dit stelen is?'

Die vraag heb ik tot op de dag van vandaag niet kunnen beantwoorden. Ook weet ik nog altijd niet waar ik de loyaliteit vandaan haalde om mijn ouders, degenen die me steeds het bos in stuurden, in bescherming te nemen. Ik bracht het op luchtig te antwoorden: 'De kinderen van het schoolhoofd hebben zonder kachel koude voeten en ze hebben ook warm eten nodig.'

Weer stond de vriendelijk ogende man te peinzen. Uiteindelijk zei hij: 'Ik heb jou hier niet gezien,' draaide zich om en verdween soppend in het buntgras.

Ik bleef stilstaan en probeerde te begrijpen wat er gebeurd was. Stelen, dat was nogal wat. 'Jij kent het vierde gebod niet,'* kreeg ik thuis vaak te horen. En meer van dat soort frasen. Ruim veertig jaar later opende het boek van Alice Miller mij de ogen.** Helaas te laat.

Hoewel ik anders altijd in mijzelf praat, ging ik nu zwijgend verder met mijn werk. Ik zaagde de stammen kort, laadde de kar halfvol en sopte naar het pad. Daarna laadde ik de rest in en begon aan de lange tocht naar huis. Mijn bo-

---

* Het vierde gebod: Gij zult uw vader en moeder eren.

** Alice Miller: psychoanalytica en schrijfster van het boek *Het drama van het begaafde kind*. Dit boek heeft mij heel veel duidelijk gemaakt en een rouwproces in gang gezet.

terham was ik vergeten, die bleef achter in het bos.

Boven mij, in de wolken of hoger, klonk het gebrom van vliegtuigen, in mij klonk die vraag. Ben ik een dief? Naast al die andere dingen? Thuis hield ik mijn mond over de ontmoeting in het bos.

DRIE

De verstokte zondaar

Dagenlang liep ik rond met wat er in het bos van Geesink gebeurd was, en vooral met de vraag of ik een dief was. Met iemand erover praten kwam niet bij me op. Dat idee kreeg ik pas tien jaar later.

De volgende dag kon ik eindelijk weer eens naar school. 'O ja, jij had gisteren hoofdpijn,' zei juffrouw Nijland argeloos. Ik zei niks, en moest denken aan een voorval een paar jaar eerder, toen ik samen met moeder en wat broertjes en zusjes naar Neede was geweest. Voor een kind tot vier jaar betaalde je de halve ritprijs. Ik was vijf, maar tamelijk klein, dus mijn moeder probeerde het. 'Vier jaar,' antwoordde ze op de vraag van de kassajuffrouw over mijn leeftijd. 'Niet waar, ik ben vijf.' Ik was vijf. Weliswaar nog niet lang, maar ik was vijf. Mijn moeder stond voor schut. Ze betaalde. Dat heb ik geweten. Het voorval heeft me maandenlang verwijten bezorgd.

Nu gebeurde er weer zoiets, opnieuw ten koste van mijn eigen belang. Maar dat laatste had ik nog niet door. Ik had alleen het sterke gevoel dat er iets niet klopte.

De gelegenheid om naar school te gaan duurde niet lang. Algauw werd de school weer door de Wehrmacht gevorderd. En trok ik er weer op uit. Alleen. De oorlog duurde voort, de schaarste nam toe. Er moest steeds meer tijd worden gestoken in de voedseltochten en het jatten van brandhout.

Uit hang naar veiligheid of uit de behoefte om voor mezelf te zorgen had ik in de loop van de maanden telkens een blokje elzenhout op het zoldertje van de bijkeuken gelegd. Daar had ik van oude plankjes een hoekje gebouwd waar ik graag het weinige huiswerk deed dat ik op eigen initiatief kon maken. De blokjes, mijn blokjes, zaten in drie fruitkisten en er lagen een paar de vloer. De eerste die ik er had neergelegd, lagen er al maanden en waren inmiddels lekker droog, zeker vergeleken met het soms drijfnatte hout uit het bos.

Maart verstreek en de oorlog duurde. Op een dag was ik bezig de afgerotte palen van het speeltuinhek kort te zagen, toen mijn moeder met opgestoken zeilen naar buiten kwam. Of ik als de bliksem dat brandhout van de zolder wilde halen. Later pas kwam de vraag bij me op hoe zij wist dat daar hout lag. Op dat moment kwam er geen enkel protest bij me op. Ik wist ook niet zeker of zij het recht had om dat hout van me op te eisen. Had ze het gevraagd, dan had ik niet kunnen weigeren. Toch vraag ik me nog steeds wel eens af wat er gebeurd zou zijn als ik dat toch had gedaan.

Maar ik haalde het brandhout naar beneden en smeet het in de bijkeuken. Mijn moeder hoorde het en stak van wal, over ontaardheid, over dat ik mijn ouders, broers en zussen in de kou had laten zitten door het hout stiekem te verstoppen. Een zonde tegen het zevende gebod.* Opnieuw werd ik uitgemaakt voor dief. Vader zat erbij en hield zich afzijdig. Altijd hield hij zich afzijdig. Vader greep nooit in. Nooit.

Drie volle fruitkisten hout en een paar losse blokjes betekenden in die dagen weinig. Koken, wassen en het water voor de wekelijkse wasbeurt; de voorraad vloog erdoor. De

---

* Het zevende gebod: Gij zult niet stelen.

lege kisten belandden weer boven, en ze raakten weer vol, maar dit keer buiten zicht.

***

Het voorjaar kwam er eindelijk achter dat als mensen er een zooitje van maken, dat nog niet betekent dat seizoenen dat ook moeten doen. De lente brak door en maakte alles wat makkelijker. Er moest nog worden gestookt voor de varkenspot, het koken, het wekelijkse baden, maar niet tegen de kou.

Ook in mij vond een verandering plaats. Als ik dan een dief ben, dacht ik, dan zal ik ook profiteren van de voordelen van dat ambt. Geld voor de voedseltochten stopte ik in eigen zak. Meestal gapte ik de spullen gewoon. Waren mijn klompen versleten, dan wachtte ik de sermoenen niet af, maar kocht ik van dat geld nieuwe, als ze te koop waren tenminste.

Maar de zomer kwam en ging snel, en de barre winter stond alweer voor de deur. Hoe bar die dit keer zou zijn, wisten we toen gelukkig nog niet. Het werd koud. Niet door het weer, niet alleen tenminste. Koud door gebrek aan mensenwarmte. In de winter van '44-'45 verloor ik het respect voor mijn vader. Als dat er ooit al was geweest.

VIER

Een beestenbende

Nog voor het invallen van de winter stierven door een domme streek van mijn vader de twee varkens. Ze waren bijna inzetbaar. Ze woonden in de schuur, een bouwsel van niet al te dikke balkjes en planken. Onze gasten hadden de school weer eens nodig en dat betekende dat mijn vader voor de was, maar vooral ook voor zijn tabaksbladeren een andere droogplek moest zoeken. Normaal gebruikte hij daarvoor de schoolzolder, die kurkdroog was en waar het zo tochtte dat er constant frisse lucht doorheen ging.

De was moest maar in de huiskamer drogen, bedacht mijn vader. Dat was één probleem minder. Nu nog de tabaksbladeren, zijn tabaksbladeren. Hij dacht diep na, ik zie nog voor me hoe een diepe denkrimpel zijn gezicht plooide, dat vervolgens ineens weer opklaarde. De tabak kon in de schuur drogen! Met het raam een stukje open voor de luchtcirculatie. De speklaag van de beesten was dik genoeg om ze tegen de komende kou te beschermen. Als ze tegen die tijd niet al ingezet waren.

Dus draaide mijn vader in het houten beschot boven de varkenshokken schroefogen. Aan het eerste oog knoopte hij een stuk vliegertouw en aan het touw reeg hij precies zo veel blad dat het de overkant haalde. Daar trok hij het touw door het tweede schroefoog en het rijgen van de tweede guirlande begon. Toen die klaar was ging het touw weer naar de overzijde. Op die manier kreeg elk blad de kans gelijkmatig te drogen.

Het enige waar bij deze oplossing niet over was nagedacht, was dat bij het drogen van tabaksbladeren chemische en fysische omzettingen plaatsvinden. Bij die omzettingen komen agressieve stoffen vrij, en die gingen het vliegertouw fanatiek te lijf. Het was henneptouw, en hennep is een plantaardige vezel, dat niet is bestand tegen chemische stoffen. En dus werden de touwen steeds minder sterk, zonder dat iemand het doorhad. Toen de schuur begon te trillen, door de varkens die jeuk hadden dan wel door de wind, brak het.

Onze varkens maakten snel korte metten met het vallend manna. Ze vraten alles in noodtempo op. Net als tegenwoordig verdiende de uitvaartbusiness ook toen al een goudmijn aan de nicotine, misschien toen nog wel meer. Maar dat varkens eraan overleden waren ze ook toen niet gewend.

De veearts werd in allerijl gewaarschuwd. Al snel na aankomst verliet hij de plek des onheils weer, hoofdschuddend, en reed weg op zijn fiets met antiplofbanden. Nicotinevergiftiging, was het vonnis. De rekening zou volgen.

En zo begon voor ons de barre winter van '44. Onze menukaart zag er nu schraal uit, zeer schraal, ontdaan van verreweg het belangrijkste gerecht. Dat resulteerde door mijn vaders stommiteit in een klein prakje.

Dus kreeg ik te verstaan dat ik toch echt beter mijn best moest doen. Omdat de oude damesfiets van nationaliteit veranderd was, ofwel gestolen, ging alles te voet. Maar zelf maakte ik grote sprongen, niet alleen op het gebied van cynisme, ook het organiseren ging me steeds beter af.

***

De school herbergde in die dagen Wehrmachtsoldaten; ook in ons huis waren twee kamers gevorderd. Die stonden ter beschikking van de *Ortskommandantur*, de waarnemer. Op een dag zag een van de Wehrmachtmilitairen dat moeder een nog halfvolle schaal boerenkool in de varkenston leegde. Voor de twee spekfabrieken waren twee zwaar ondervoede biggen in de plaats gekomen, en het was zaak deze zo vlug mogelijk klaar te stomen om in te zetten.

'Oh Schade!'

De militair, een *Feldwebel*, had het eruit geflapt voor hij er erg in had.

'Haben Sie heute kein Essen bekommen?' vroeg mijn moeder.

Het was iedereen inmiddels duidelijk dat Duitsland vies op de bek ging vallen. En de Wehrmachtsmensen waren daar nog het meest van doordrongen.

'Verzeihung, gnädige Frau, Verzeihung.'

Mijn moeder, geen al te gevoelige vrouw, antwoordde met: 'Ich frage Sie etwas?'

'Wieder Verzeihung, gnädige Frau.'

'Nah!' klonk het kort.

'Nein, gnädige Frau, wir bekommen heute zu wenig Essen.'

Erich en Karl, zoals de twee militairen heetten, aten het overgebleven eten op en zorgden op hun beurt voor wat Duitse *kuchen* en kunsthoning, artikelen die destijds redelijk voorhanden waren. Niemand zag er iets verkeerd in. Of men liet het niet merken.

In de dagen tussen kerst en oudjaar hing er een geheimzinnige sfeer, vol van dreiging. Zelf droeg ik daaraan bij. Soms ging ik tijdens mijn zwerftochten bij mensen langs van wie ik wist dat zoonlief nog op de mulo zat zodat hij niet zou hoeven bijdragen aan de Endsieg. Mijn boodschap kwam bij hen goed aan: onze varkens waren op een geheimzinnige wijze de pijp uitgegaan. Nee, niet opgegeten, niet door ons tenminste. Ik trad niet in details. Niet om mijn vader te sparen, dat station was ik gepasseerd, maar het deed er niet toe. Mijn best doen, ook dat geloofde ik zo langzamerhand wel. Het enige wat er voor mij nog toe deed was overleven. Onbewust was dit mijn motto geworden. De oorlog door, dan zien we weer verder.

De hint kwam goed over. Of wij, voorlopig, met een half varken gered waren? Ongeveer honderd kilo? Mij leek het een goed idee.

Waar ik de brutaliteit vandaan haalde weet ik niet. Maar helemaal cadeau kreeg ik het niet. Zelf halen, en niet overdag. Elke goede wil heeft zo zijn grens. Weer een goede les voor mij.

Hoe ik het vrachtje thuis kreeg, was dus mijn zaak. In het donker betekende sowieso gedeeltelijk tijdens spertijd, die om zeven uur begon. En dus betekende het schietgrage moffen, graaierige NSB'ers en landwachters. Tien kilometer heen. En tien kilometer terug. In de sneeuw, onvervalste koude sneeuw. Terwijl alles aan kwaliteit leek in te boeten, gingen de sneeuw en de verduisteringspapieren er alleen maar op vooruit.

Thuis werd gelukkig ingezien dat dit boven mijn kracht ging. Dat ze die inschatting maakten was voor mij een even groot wonder als dat we het varken toegezegd hadden gekregen. Er werden expeditiegenoten aangewezen: mijn moeder, zus Tiny en broer Chris.

Ik stelde voor om met de bolderkar te gaan. Daar konden ze zich niet in vinden. Twee bobsleden dan? Wij hadden er een, een tweede was te regelen. Ook dat viel niet in goede aarde. Het werd de slee van de familie Beerink, een soort arrenslee voor vier personen. Daar zou het varken nog wel bij passen. Het was een houten bak, loodzwaar, met een duwboom en een ring voor een touw. Ik overwoog in mijn eentje met de bolderkar te gaan, maar deed het niet. Wat het was weet ik niet, maar iets hield mij tegen.

We gingen rond een uur of vier op pad, het was nog licht. Het voelde alsof ik personeel had. Het pad was in feite geen pad, maar een door ons te banen spoor door de sneeuw, met loodzware slee en al. Hij was leeg al moeilijk te manoeuvreren, laat staan als er straks een half varken op zou liggen.

We hadden één lichtpuntje: er zou een klein stukje weg aankomen. Maar dat was dan ook gelijk het riskantste stuk. Dat wisten de anderen niet, alleen ik wist het, en ik zei niets. Ze zouden er vanzelf achter komen. Die wetenschap gaf me een goed gevoel. Ze waren de rit opgewekt begonnen, en ergens hoopte ik dat het uit de hand zou lopen. Aan de gezichtsuitdrukkingen na dit korte stukje te zien zou ik waarschijnlijk al snel mijn zin krijgen. Deze avond zouden we niet snel vergeten.

We staken de brug over de Slinge over, het Maarsevonder. We waren ongeveer op een vijfde en gingen nog maar half zo snel als we begonnen. Het duwen en trekken veranderde al snel in zeulen. En daarna moeizaam zeulen. En uitrusten. Het stomste wat je kunt doen, rusten, met je voeten in dat dikke pak sneeuw. Weer zei ik niks. Ik stapte wat heen en weer, tot ik te horen kreeg dat ik de anderen daarmee nerveus maakte.

Even verderop volgden de waarschuwingsbordjes van het leemtrammetje. Vervolgens moesten we de boerderij van Bleuming langs en dan het stukje verharde weg. De slee was nu nog leeg, en het was vóór spertijd, dus er was nog geen gevaar. Pas op de terugweg liepen we kans gecontroleerd te worden. Zo gingen we ongeveer een kilometer lang over de hardgereden sneeuw. Alleen heeft hardgereden sneeuw ook een nadeel; het is rul, wat de tocht voor ons niet gemakkelijker maakte.

Wat ook niet meehielp was dat ik niet op mijn hardst

werkte. Het voelde voor mij een beetje als *Feierabend.*

De laatste tweeënhalve kilometer was het zeulen, zeulen en afzien, tot we eindelijk bij de plek van bestemming waren. Het was inmiddels donker, zeker zeven uur. Nu wel verboden om buiten te zijn, wisten we via de beruchte *Bekanntmachungen*, op het grauwe roodomrande papier, die in het Duits en onze eigen taal de boodschap van de bezetter gaven te lezen. De adelaar met de swastika keek neerbuigend toe.

We waren er. Het viel me mee dat ze niet tegen onze weldoeners begonnen te jammeren, ik was al half voorbereid op de schaamte. We kregen een paar boterhammen en een beker warme melk, en opnieuw werd me een gênant moment bespaard, omdat moeder niet het lef had te zeggen dat ze van warme melk kotsen moest, wat trouwens deze avond niet gebeurde. Ze waren zo tam, mijn expeditiegenoten, dat ik er ondanks mijn vermoeidheid plezier in had.

Het varken, de helft ervan, werd klaargemaakt voor de reis. De verkilde ledematen werden in een oud laken gewikkeld en vervolgens als een rasechte pasja op de slee geplaatst. En zo konden we weer 'op huus aan', zoals ons zonder veel mededogen door de schenkers verkondigd werd. Hun plicht zat erop.

Al na enkele meters wisten we dat dit op huus aan gaan zou uitlopen op een zwaar lijden. Het enige wat ik kon doen, was mijn Feierabend-gevoel vasthouden. De gedachte dat de bolderkarren vol hout ook afzien waren, hielp daarbij.

Na zo'n honderd meter zuchtte Tiny: 'Dat halen we nooit.' Ik herinnerde aan mijn plan twee bolderkarren te nemen, maar dat leverde me slechts afkeurend gegrom op. Onze passagier gaf ondertussen geen krimp. Hij lag er prinsheerlijk bij en liet ons ploeteren, totdat we er voor zijn part bij neer zouden vallen.

Meter na meter moest veroverd worden op de rulle sneeuw. Het was inmiddels al zeker een uur spertijd en donker. We hadden geluk dat de hemel helder was, verder hadden we geen enkel licht. Terwijl het toch niet onbelangrijk voor ons was om dingen te kunnen onderscheiden, vooral voor de trekkers, die op oneffenheden moesten letten. Een verdieping kon een sloot zijn, maar evengoed een bomkrater of een vergeten schuttersputje. Een peilstok hadden we niet. Ik had gedacht dat Chris, die een verkenner zei te zijn, daar wel aan gedacht zou hebben, maar het idee leek in zijn hoofd niet op te komen.

Dus stapten we op goed geluk. Niemand praatte nog. Behalve Chris, toen die dan eindelijk begon over de prikstok. Tegelijkertijd wist hij dat die nu nergens vandaan te halen was. Als we een mes hadden gehad, hadden we hem uit een wilg kunnen snijden. Maar we hadden geen mes, en hij kreeg geen antwoord. Het zwijgen werd benadrukt door het geschuif van de schoongeschuurde ijzers van de slee in de sneeuw.

We bereikten de verharde weg, en ik keek om me heen naar verdachte figuren. Ambtenaren van de voedselcontrole waren nog wel eens menselijk en bereid een oogje dicht te knijpen, maar als we een NSB'er of landwacht tegen zouden komen, dan zouden we het vlees ongetwijfeld kwijt zijn.

We sjokten verder, meter na meter. De boterhammen hadden we allang weer verteerd en de kou nam extra energie bij ons weg. Ergens koesterde ik nog de hoop dat ze zouden begrijpen wat ik vaak moest doorstaan, een gedachte die mij wat moed gaf. Het geluid van de knerpende sneeuw onder de glijijzers klonk vredig. Ze zouden nu toch wel schoon geschuurd zijn; dat moet ongetwijfeld schelen, merkte ik op, in de hoop het moraal wat op te vijzelen.

Geen respons. Ze waren te tam om nog te praten.

We hadden het nachtjagertje* nog niet gehoord, dus het

---

* Het nachtjagertje was een Fieseler Fi 156 Storch, een Duits verbindings- en verkenningsvliegtuig.

was nog geen elf uur. We waren koud tot op het bot, maar moesten verder. We passeerden de boerderij van Bleuming en verdwenen daarna de sneeuwwoestenij weer in. Van het leemtrammetje of een bord was niets meer te zien; bedolven onder de sneeuw.

Ik vroeg mij af waar de anderen aan dachten. Tijdens mijn eenzame wandelingen schoot er dikwijls van alles door mijn hoofd, wat hielp om de tijd een beetje korter te doen lijken. Zoals ik trouwens jaren later, toen ik door de sneeuw in Noord-Peru heen ploeterde, niet zonder weemoed aan dit specifieke tochtje terugdacht.

We hielden de slee met de pasja erop met de grootst mogelijke moeite in beweging. De laag sneeuw was nu zo dik dat de voorkant van de slee droge sneeuw voor zich uit schoof. Op een gegeven moment ging dat mis en gleed de slee zijdelings weg. De trekkers begrepen niet meteen wat er gebeurde en trokken door, zodat het onhandelbare ding het vermeende pad afschoof en bleef liggen, helemaal schuin. Vervolgens rolde de pasja, met een intens luie beweging, naast de slee op de grond, en vleide zich in de koude sneeuw. Misschien in de veronderstelling dat hij in het hiernamaals was beland, waar schone vrouwen hem passend zouden bejegenen. Met man en macht, wat evengoed nog weinig voorstelde, probeerden wij de slee weer op het spoor te krijgen. Het leverde iets op, het gewroet in de sneeuw deed een markeringspaaltje tevoorschijn komen, zodat we in ieder geval wisten dat we op de goede weg zaten. Nu moesten we de slee nog op de goede weg zien te krijgen. En de pasja er weer bovenop.

VIJF

Ben ik een collaborateur?

Ons voedselprobleem was opgelost, maar we kregen er een ander voor in de plaats. Rukken en trekken haalde niks uit. 'Zo bederft het vlees tenminste niet,' merkte moeder laconiek op. Ik zei dat er maar één ding op zat: hulp halen. 'Wie gaat dan doen dan?' vroeg moeder. Chris bood zich aan, waarop ik mijn gezinsleden zonder er doekjes om te winden verkondigde dat zij nu genoeg in de soep hadden laten lopen en dat ik het spuugzat was. Mijn zus protesteerde, maar ik hield vol. De verkenner zou in de sneeuw het Maarsevonder niet vinden, en ik wel, en als ik die niet vond, zou het nog geen ramp zijn. Dan zou ik gewoon de stroomrichting volgen. Dat laatste verzon ik maar, maar dat wisten zij niet. Ik wilde gewoon weg, ze zochten het maar uit.

Echt overtuigd waren mijn expeditiegenoten niet, maar evenmin hadden ze er iets tegenin te brengen. Het bleef stil, de sfeer was in alle opzichten ijzig. Ik wilde weg, zonder wroeging, zonder spijt. Zij zouden hier blijven, op de weg terug, bij de pasja. Ik verliet de plek van het onheil haast opgewekt. Misschien zouden ze nu eindelijk eens leren luisteren, dacht ik – al had ik daar tegelijkertijd heel weinig vertrouwen in.

Ik moest vier kilometer heen en terug, dus gemakkelijk

was het niet, maar het was een verademing om mijn eigen gang te kunnen gaan. Dan maar met lege maag en koude voeten. Ik troostte me dat ik beter bestand was tegen de ontberingen dan de erewacht van zijne eminentie.

De tocht naar huis verliep vlekkeloos. Ik trof er mijn vader aan, op wiens hulp we niet hoefden te rekenen. Hij hoestte zich de longen uit het lijf. Jan vond dat het zijn plicht was bij de kinderen te blijven. Ik gokte op Erich en Carl, die naar de school waren uitgeweken, want de waarneming door de Ortskommandantur liep af toen er weer een SS-officier beschikbaar was. Ik besloot dat ik niet meteen over de pasja hoefde te beginnen, dat zou ter plekke vanzelf blijken. Het was mijn enige kans.

Met de sleutel van de schoolachterdeur ging ik naar buiten, waar ik keek of de Kübelwagen* van de Ortskommandant er stond. Die bleek op pad te zijn. Dat was goed nieuws. Wehrmacht en SS, begreep ik, kunnen eigenlijk prima zonder elkaar.

Ik ging door het donker langs ons stukje stadswal, waar de mulolokalen lagen, via de achterdeur de school in. Er waren maar een paar soldaten, en die letten niet op mij. In het licht van de afgeschermde kaars vond ik uiteindelijk vaders kantoor. Daar hadden Erich en Carl zich genesteld. Op mijn kloppen klonk een verwonderd 'Herein'. Toen ik binnenkwam gevolgd door: 'Was machen sie dan, mein Jung?'

Ze keken me bezorgd aan, en ik realiseerde me dat ik er al twintig kilometer door de sneeuw op had zitten. Het moest me aan te zien zijn.

'Schwierigkeiten?' klonk het vriendelijk, met een nieuwsgierige ondertoon. Ik vertelde kort wat er aan de hand was. Ze keken elkaar aan en overlegden in een Duits zo snel dat ik niet alles kon volgen. Maar toen ik Kurts naam dacht op

---

* Kübelwagen: soort MPV [sic.].

te vangen, gaf ik ze de informatie dat de wagen van de Ortskommandant er niet stond. Inderdaad vonden ze dat goed nieuws.

Terwijl ze verder overlegden keek ik om me heen. Het was hier niet bepaald luxe: een kantoor met houten planken als vloer en een kachel waarvan de pijp door het raam heen verdween. Een stukje zink dichtte het gat eromheen. Onder het portret van de Leider stond een geweer met de loop op zijn voorhoofd gericht, het kon toeval zijn. De kachel brandde zuinig, wat cokes lag zomaar op de vloer. Er stonden een paar veldbedden met grauwe legerdekens en enkele stoelen bij een gammel bureau. Verder nog enkele uitrustingstukken en rugzakken, dat was het wel.

Ze waren klaar met het overleg. Er werden een paar scheppen uit een kast gepakt, wat stukken touw, een stok om te peilen en wat handgeschut, dat in holsters verdween.

'Haben die etwas gegessen?'

'Jawohl, aber viele, viele Stunden zurück.'

Ze moesten er doodleuk om lachen. 'Nah, sie sind ganz gesund.'

'Und jetzt, los mein Jung.' De achterdeur uit. De speelplaats over, via Porskamps weide naar de brug over de gracht, richting Maarsevonder. Zonder aarzelen vond ik het pad, en Erich en Carl volgden mij op de hielen. Het duurde niet lang of de planken van het Maarsevonder dreunden onder onze voeten. Er werd weinig gesproken. Mijn gedachten draaiden rondjes over waar ik aan begonnen was. En hoe het zou aflopen. Het was eigenlijk te gek voor woorden, een paar militairen van de bezettende macht vragen ons uit de sneeuwprut te halen, terwijl we bezig waren met streng verboden activiteiten. Ik begon maar alvast op te biechten dat we wat te eten hadden gehaald en door de sneeuw in de problemen waren gekomen.

Het werd voor kennisneming aangenomen. Mijn bezorgdheid dat het spertijd was werd afgedaan met 'Verdammter Scheisse'. Ook zij maakten de opmerking dat de pasja in ieder geval niet bederven zou, en vervolgden grinnikend hun weg. Terwijl we zo door de sneeuw baggerden hoorden we de avondgast, het nachtjagertje, boven ons brommen, wat me eraan herinnerde dat ik niet meer op de klok had gekeken. Het was dus al elf uur geweest.

De kou was venijnig, maar zonder al te veel afzien kwamen we bij de pasja en zijn bewakers. Hoe koud ze het ook moesten hebben, medelijden voelde ik niet. Voor de tweede keer die avond was ik bang me te moeten schamen, maar ze leverden geen commentaar op wat ik meebracht. Er kon zelfs een 'goedenavond' van af.

Erich en Carl waren stevige kerels van in de twintig, en binnen de kortste keren stond de slee met behulp van de scheppen en het touw weer op het pad, en kon zijne eminentie plaatsnemen. Galant werd de pasja erop geholpen. De scheppen moest hij als gezelschap voor lief nemen. Maar nog altijd mocht hij niet klagen, zijn bournous kreeg hij weer aan. Eindelijk konden we onze weg vervolgen, en verder 'op huus aan'.

Dankzij het spoor waren we binnen anderhalf uur op de brug over de gracht. Toen we in het stuk met veel bomen waren overlegde ik met Erich en Carl, en stelde ik voor poolshoogte te nemen om er zo achter te komen of Kurt er was en waar zijn Kübelwagen geparkeerd stond. Ook stelde ik voor die zware slee hier achter te laten en het laatste stuk met de bobslee af te leggen.

'Uh Kurt? Oh, der ss-offizier,' antwoordde Erich.

'Ist er ins Haus?'

'Ganz richtig, mein Jung, gehen Sie.'

De anderen keken verbaasd toe hoe ik de leiding op me nam, maar onthielden me gelukkig opnieuw hun commentaar.

Kurts auto stond op de gewone plaats, afgedekt met dennentakken. Kennelijk was hij niet meer van plan weg te gaan. Dat was een lichte tegenvaller, maar met de bobslee konden we door de weide van Porskamp, de speelplaats van de school over en ten slotte langs de mulomuren naar ons huis.

Zonder dat iemand ons zag bereikten we op deze manier de achterdeur. Daar pakten Erich en Carl de pasja bij kop en kont en deponeerden hem zonder meer in de bijkeuken. Het was uit met de luxe, in de bijkeuken was het al net zo koud als buiten.

We kregen nauwelijks tijd de jongens te bedanken, ze wensten ons een goede nacht en glipten door de achterdeur weer naar buiten, terug naar hun inmiddels afgekoelde hok in de school.

Vlak voordat we die avond gingen slapen zei Tiny nog: 'Nou nou, jij kunt goed met de vijand overweg, poe poe!'

'Stomme trut,' beet ik haar toe. Mijn zus had van het tochtje weinig geleerd, dat was duidelijk. Het duurde nog lang tot ik eindelijk in slaap viel. Ik was te moe en tegelijkertijd te opgewonden om te kunnen slapen, en dacht na over de risico's die deze zogenaamde vijanden voor ons gelopen hadden. Stel dat Kurt ze gevonden had, wat zou hij dan gedaan hebben?

ZES

Voorlopig de laatste loodjes

Kort na die nacht waarin ik er blijk van had gegeven met de vijand op goede voet te staan, stierf onverwacht een van mijn broers. Het enige wat ik voelde was opluchting. Hij was erg bedreven geweest in het 'eert uw vader en moeder', en zodoende medeoorzaak van mijn gevoel van desoriëntatie. Hij werd begraven.

Verder veranderde er weinig. Hout zoeken bleef mijn voornaamste tijdsbesteding. En nog altijd alleen. Op een van die tochten liep ik wat NSB-knaapjes tegen het lijf, die niet door leken te hebben dat het optimisme van Dolle Dinsdag eindelijk gerechtvaardigd bleek te zijn. Het was onvermijdelijk. De bevrijding zat eraan te komen. De bordjes zouden verhangen worden, of ze het nu wilden of niet.

Maar hun ontging het kennelijk. Zij dachten dat ik direct mijn hout zou afstaan als zij met hun blikken dolkjes zouden zwaaien. Maar de botte hiep waarmee ik terugzwaaide maakte toch meer indruk. Meer dan ik had durven hopen. Ze dropen vrijwel meteen af. Kwam ik zo agressief over? Het was niet hoe ik me voelde.

Mijn moeder had van ons pasja-avontuur wel íéts geleerd. Er lagen nu een paar zuinig belegde boterhammen klaar als ik op pad ging. Het was een zware winter. De mensen waren doodop, ieders incasseringsvermogen was flink aangetast. Januari kroop voorbij, gevolgd door februari, in hetzelfde trage tempo. De geallieerde vliegtuigen schoten op alles wat bewoog. Behalve op de Duitse bolderwagen, beladen met gejat elzenhout.

Het bos, welk stuk je ook betrad, zag er berooid uit. De boswachter kwam ik nooit meer tegen. Hij moest een ander tijdstip voor zijn vaste route hebben gekozen. Misschien maakte hij zich zorgen over hoe hij dit straks anders uit kon leggen.

Het was inmiddels maart toen ik een keer om op de plaats van bestemming te komen, in Duitse krimi's ook wel p.d. genoemd, een omweg moest maken. De Duitsers waren namelijk bezig gaten, loopgraven en tankgrachten te maken in de hoop de Endsieg alsnog te kunnen realiseren. Ik voelde dat er iets stond te gebeuren. De vliegtuigen waren in deze periode haast onafgebroken in de lucht en schoten op alles. Het was bloedlink om buiten te zijn. Toch moest ik in de week voor Pasen dagelijks hout gaan zoeken. Ik begreep maar gedeeltelijk waarom. Pasen, twee zondagen, oké, maar wat nog meer?

Het was de ochtend voor Pasen, paaszaterdag. Vader stond zich in de keuken te scheren. Of eigenlijk was het meer krab- en bikwerk. Hij gebruikte er een schaaltje heet water bij, warm gemaakt op het fornuis dat was verhit met gestolen elzenhout. Hij gebruikte slechte scheerzeep.

Die dag moest ik naar Wallerbosch. Melk halen. Twee dagen, zes flessen van een liter – vier kilometer met lege flessen heen, dezelfde afstand met volle weer terug. Ik kreeg een rijksdaalder mee waarvan ik een dubbeltje zou overhouden. Helaas, voor mij weinig winst vandaag, al waren mijn klompen aan vervanging toe.

Ik stond op het punt te vertrekken, maar werd door mijn vader tegengehouden. 'Als jou onderweg iets overkomt, moet je er eens heel goed aan denken wat voor een verdriet jij jouw ouders aangedaan hebt.' Dat was het. Met die woorden kon ik gaan. Ik was verdoofd, helemaal van mijn stuk gebracht en wist niks uit te brengen.

Achteraf verklaarde ik het als een ongenuanceerde uitspraak. Vooral ook omdat ik dat wilde. Misschien, heel misschien zijn er wel aanwijzingen dat de uitspraak steekhoudend was. Maar er kwam niks, en ik kon ze niet bedenken. Ik was tenslotte nog maar een kind. De vraag wat voor verdriet ik ze deed is toen niet, en ook later niet meer beantwoord. De hele heenweg dacht ik over zijn woorden na. En ook de hele terugweg, die via allerlei omwegen moest. Ik nam de zandpaden, die ik kende, want de weg van Winterswijk naar Groenlo werd door jachtbommenwerpers schoongeveegd. Grondig schoongeveegd. Met mitrailleurs. En het zou niet gebeuren dat omdat Wim Tubbing daar liep, de geallieerden hun kogelregen zouden doen wijken als het water van de Rode Zee bij de Joodse uittocht. Dus liep ik over de zandpaden, en ongeveer parallel mee met de legeronderdelen van de vierde Canadese pantserdivisie, zonder dat ik het wist.

Ik passeerde het huis van de boswachter, maar wij zagen elkaar niet. Vervolgens kwam ik langs de boerderij van Porskamp, de eigenaar van de weide achter school. Op deze boerderij kon ik altijd wel tien of twintig eieren kopen, zonder erom te hoeven bedelen. Ze zagen me en riepen iets. Ik liep wat dichter naar de boerderij toe om het te kunnen verstaan. En zo kwam ik erachter dat de Duitsers nu dan eindelijk het veld moesten ruimen voor de Canadezen. Het leek erop dat de langverwachte bevrijding in zicht was. Maar dat maakte het op dit moment nog niet veel veiliger om buiten te zijn.

De Porskamps lieten me met een paar boterhammen in hun schuilkelder wachten. Niemand sloeg acht op de melk.

Even later kwam het nieuws dat we in Groenlo bevrijd waren. De straten waren gevuld met vreemde voertuigen en soldaten. Een grote menigte keek toe, juichte, danste en zong. Een enkele durfal zat op een jeep, vooral de meisjes deden dat. Duitse militairen werden geboeid afgevoerd. Ik dacht aan Erich en Carl, die enkele maanden eerder hun nek voor ons uitgestoken hadden.

Toen het kon, bracht ik de melk naar huis. Niemand vroeg iets aan me. Mijn eigen vragen werden steeds klemmender.

Had mijn vader geweten wat er die dag gebeuren zou? Als oud-officier van het Nederlands leger was dat een mogelijkheid. Hij sprak bovendien vloeiend Duits, hij bezat een MO-akte. En om de taal bij te houden was hij regelmatig in gesprek gegaan met de Ortskommandant. Hij las *Der Deutsche Zeitung*. Bovendien luisterde hij naar Radio Oranje. En toch liet hij me gaan die dag. Waarom? Vanwege de melk?

Nog geen jaar later nam hij de antwoorden mee naar het kerkhof. Hij had zich doodgerookt. Ik wist zeker dat dat de oorzaak was. Dat gehoest op de avond van de pasja. Het gehoest 's nachts in de schuilkelder, en tijdens de maaltijden. Het gehoest zelfs op de momenten dat hij me met die vragen opzadelde, die vragen die mij vijfentwintig jaar later nog steeds gillend wakker maken en mijn bed uit jagen.

Die middag, toen ik terugkwam met de melk, ging ik, omdat niemand zich om me bekommerde, maar weer op pad. Ik had een ingeving en begaf me naar het slachthuis. Daar had ik eerder al eens kolen geregeld, wie weet lagen er weer nieuwe. Inderdaad, volop kolen. Bevrijdingsdag, de paaszaterdag, was voor mij kolenhamsterdag. Maandenlang stal ik daarna kolen. De ene bolderkar na de andere verdween onze schuur in, waar de zwaar ondermaatse biggen nog altijd zwaar ondermaats waren. Ze krijsten luid om hun ongenoegen kenbaar te maken. In mijn hoofd spookten de vragen door.

Ik ging die middag nogmaals op pad. Dit keer voor mezelf. In het parochiehuis vond ik wat lakens en dekens. Ook was er een kleed, dat pas vijftig jaar later versleten in mijn grijze container verdween. De aanblik leverde me een brede glimlach op. Mijn loon voor al het geleverde werk tijdens de oorlog. Voorlopig zou ik geen hout meer hoeven te jatten.

Het straatbeeld veranderde vanaf die dag drastisch. Eten was nu overal vandaan te halen, zelfs uit de schoenfabriek viel wat te jatten. De pannenkoeken van eierpoeder kwamen ons weliswaar na enkele weken de oren weer uit, maar klagen mochten we niet. We hadden de pasja nog, die met zijn spek meer smaak gaf aan onze pannenkoeken.

Door mijn nieuwe cynische levensinstelling viel er van alles te regelen. Op het punt van eufemismen kon ik best een Duitser zijn. Het eerste wat ik nodig had was een fiets. Ik onderhandelde in die tijd regelmatig met de oude meneer Snijders. We hadden een klik, hij was even cynisch als ik. En hij had een fiets. In ruil ervoor wilde hij benzine hebben, en daar kon ik als ervaren dief wel aankomen; de Canadezen hadden benzine zat. De laatste jerrycan die ik regelde vervoerde ik op de fiets, die nu van mij was. Misschien, denk ik wel eens, had ik crimineel moeten worden. Misschien was ik dan gelukkiger geweest.

Het dagelijks leven vond langzaam zijn normale ritme weer terug. Heel langzaam. De scholen draaiden weer en nee, ik hoefde niet meer voor hout op pad. Maar doordat mijn vader gestorven was, bleven mijn vragen onbeantwoord. Ze gingen een eigen leven leiden en ik raakte voor het eerst van mijn leven in een depressie, al wist ik toen nog niet wat dat was.

Ik voelde me vervreemd van de veranderde maatschappij. De voedseltocht met de pasja verwerd tot een dierbare, vertrouwde herinnering. Dezelfde tocht als die avond liep ik jarenlang als wandeling, bij tij en ontij. Met die wandelingen begeleidde ik mijzelf de diepte in, waarin ik geheel was vastgelopen, geobsedeerd door de niet-beantwoorde vragen. De depressies kwamen in vlagen, maar wij kennen de gemeenplaats: wat in het vat zit, verzuurt niet.

ZEVEN

Van de ene bezetting naar de andere

Zo verdwenen de Duitsers uit ons gezichtsveld. Bijna vijf jaar lang zagen wij het *Feldgrau*, hoorden we het gestamp van bespijkerde schoenen en laarzen en lazen we de roodomrande Bekanntmachungen, versierd met adelaar en swastika. Keken we tegen de gele sterren aan die een gedeelte van de bevolking tot paria bestempelde, evenals de borden met 'Joden verboden'. Hadden we nachten doorgebracht in de schuilkelder vanwege de armada's vliegtuigen op weg naar onze oosterburen met het doel het nationaalsocialisme op de knieën te dwingen. Toch waren er ook dingen die ik zou missen. De hulp van een paar doodgewone Duitse jongens, die de moed hadden om ons uit de moeilijkheden te halen terwijl wij bezig waren met illegale praktijken. Het eerherstel van de nachtegalen in de bomen op de stadswal die grensde aan onze tuin, waar ze hun lied zongen nadat de sirene het sein veilig had gegeven.

Van andere dingen, zoals de voedseltochten en alle dagen die ik in het bos van boer Geesink had doorgebracht, deed ik zonder moeite afstand. De boswachter heb ik nooit meer gezien, ik hoefde niemand verantwoording af te leggen voor mijn euveldaden. Er werd volop gefeest, bevrijdingsfeesten waarop iedereen uit zijn bol ging, soms wel eens te. De volle draagwijdte van concentratie- en vernietigingskampen drong maar heel, heel langzaam door, en er werd sowieso alleen fluisterend over gesproken.

Wij kinderen dienden weer te wennen aan een normaal bestaan. In de meest ontvankelijke periode van ons leven, net voordat de seksuele bewustwording toeslaat, werden wij met de meest bizarre situaties geconfronteerd en nu werd er van ons verwacht dat wij weer 'normaal' deden. Hoe was dat dan eigenlijk? Het was een voor ons verouderd begrip.

Voor mij betekende normaal jatten, stelen, organiseren en meer eufemismen voor criminaliteit die er met de paplepel waren ingeschept. En nu moest/mocht/kon dat niet meer? Op wiens gezag?

Ook werd van ons verwacht dat we gewoon weer naar school gingen. Er kwamen weer wat schoenen en er kon nieuwe kleding woden gekocht. Het had er dus alle schijn van dat we ons in de richting bewogen van een keurig bestaan.

Maar ik miste iets. Ik reed rond op mijn met georganiseerde benzine geregelde fiets. Er waren niet veel fietsen meer, deze had ik tenminste nog en liet ik me niet afnemen. Zoals ons iets anders was afgenomen. Een gevoel van veiligheid. De kistjes elzenhout op zolder, die gaven me dat gevoel. Het hout stond garant voor warmte en misschien wel een maaltijd.

Maar ook dat was slechts kortstondige veiligheid. De veiligheid die we misten was van een ander soort, die ik toen nog niet benoemen kon. Dat lukte pas veel en veel later. Tot die tijd zocht ik er onbewust naar, wat grote angst tot gevolg had. Onbestemde angst. Niet de angst die ik voelde in het bos van boer Geesink; die angst was herkenbaar. Ook de angst in de schuilkelder, voor een bom- of granaataanslag, begreep ik. Of de angst die ik voelde voor de jabo's (geallieerde bommenwerpers) of NSB'ers die het geregelde hout of voedsel van je in beslag namen. Maar dit was anders. Deze angst accumuleerde langzaam en vond ontlading in migraineaanvallen, steeds frequenter. En steeds heviger. Medicijnen had ik er niet tegen. Het enige wat ik kon doen was uitzingen. Ze hadden één ironisch voordeel: ze bezorgden me wat ontspanning. En wezen me erop dat iets niet goed zat.

In die periode kon ik bij niemand terecht. Mijn vader was begin 1946 gestorven, nog geen jaar nadat hij me met de belangrijkste vragen opzadelde. Vooral die ene vraag. 'Als jou onderweg iets overkomt, bedenk dan wat voor een verdriet jij je ouders aandeed.' Welk verdriet? En wist hij van het gevaar die dag, buiten?

Toen de kist de aarde in zakte verdween ieder uitsluitsel voor mij. Misschien had ik dat sowieso nooit gekregen. Maar misschien ook zou ik ooit eens de moed hebben gehad ernaar te vragen. Ook dat weet ik niet en zal ik nooit weten.

Kort na vaders dood, het was net april, moest ik een examen afleggen; een toelatingsexamen voor de 'bisschoppelijke nijverheidsschool' in Voorhout. Noch van Voorhout, noch van de school had ik ooit gehoord. Maar ik moest dat examen doen, en daarvoor moest ik naar Zwolle. Mijn peetoom, oom Wim, zou me brengen en halen. We zouden twee dagen weg zijn, want zo lang stond er voor het examen.

Maar natuurlijk kreeg ik die dag een migraineaanval. Een enorme aanval. Een die ik nooit vergeten zou. Ik werd niet aangenomen, en voor mij was het klaar als een klontje dat dat was vanwege de migraine. De belangstelling voor de school was groot, dus de broeders konden het zich veroorloven om kritisch te zijn. En op een internaat, zoals dit, kunnen ze zwakke leerlingen missen als kiespijn. Maar als reden werd opgegeven dat ik met het examen zou hebben gesaboteerd.

Mijn oom Wim liet het er niet bij zitten en begon samen met oom Chris, een broer van mijn vader, een lobby voor me. Het lukte ze; ik werd alsnog toegelaten. Ik was vierendertigste geworden van de zeshonderd kandidaten. Daar konden ze niet tegenop.

Mijn opleiding aan de bisschoppelijke nijverheidsschool begon in mei 1946 en betekende een leven in een strak regime. Elke minuut van de dag, zelfs 's nachts, stond je onder toezicht. Eigen initiatief was onnodig en ongewenst. Het woord privacy was haast een vies woord. Als je te lang op de wc zat, kwamen ze je al zoeken. Pas later ontdekte ik wat ik, achteraf, nog het ergste vond: het was een internaat voor moeilijk lerende kinderen, die ze thuis liever kwijt dan rijk waren.

Tot overmaat van ramp was het de tijd waarin ik ook ontdekte dat er twee soorten mensen zijn, ofwel dat ik man was. Ik was vijftien en begon weer in bed te plassen, zoals ik aan het begin van de oorlog ook regelmatig had gedaan. Gelukkig bleek de financiering van het internaat spaak te lopen en moest ik er voortijdig weg.

Maar de achterliggende reden was minder plezierig. Al het geld dat er nog was moest gebruikt worden om de opleiding van broer Gerard mogelijk te maken. Ik was afgeschreven; dat zou toch niets worden, dachten ze. Al waren er in de loop van de jaren mensen die daar anders over dachten. Frater Wibertus en frater Respicius van de Leo-Stichting, het internaat waar ik door mijn moeder werd weggestopt, braken een lans voor me omdat ze vertrouwen in me hadden. Die eerste was directeur van de school en zag in mij zelfs een uitstekende leraar. Ook oom Jan en tante Mina uit Nijmegen wilden mij graag een kans geven. Maar het verhaal was steeds hetzelfde. Nul op het rekest, mijn moeder weigerde mee te werken.

Tot mijn vierentwintigste had ik allerlei baantjes en deed ik een enkele cursus. Mijn angst groeide, mijn persoonlijkheid desintegreerde, zoals ze dat later noemden. Ten slotte liep ik helemaal vast. Ik was vierentwintig en rijp voor de psychiater. Ja, had ik in de toekomst kunnen kijken, dan had ik voor een carrière in de criminaliteit gekozen.

ACHT

Naar de vergetelheid

Zwak drong er geluid tot me door. Waarvandaan wist ik niet, en ik wilde geen moeite doen om erachter te komen. Geen zin in, nergens zin in. De stem drong aan. Een stem die ik niet kende. En die steeds vriendelijker werd, ondanks het aandringen. Toch belemmerde iets mij moeite te doen om te verstaan wat die stem wilde of bedoelde. Vanwege de hoofdpijn. Opnieuw hoofdpijn.

Langzaam drongen er nu flarden tot mijn onwillig brein door, een brein dat geen enkele behoefte meer voelde zich druk te maken over wat dan ook. De stem bleef maar aandringen, vriendelijk en met een standvastige ondertoon, die van geen wijken wist. Die ondertoon brak uiteindelijk mijn weerstand. Ik opende mijn ogen.

'Ik heb wat te eten voor u. Zou het erin gaan?' Een zuster, met eten. Bah, eten. Met hoofdpijn gaat het bij mij rechtsomkeert, en dan is het nauwelijks nog als eten te herkennen.

'Ja, maar je moet wel eten.'

Ik reageerde niet meer, en de vriendelijke zuster vertrok onverrichter zake. Misschien zou ze nu wel op haar kop krijgen.

Zo ging het al een paar dagen. Niet goed. Helemaal niet goed. De zusters, van wie ik inmiddels twee herkende, brachten zwaarder geschut in stelling. Een pater van het Maristenconvent. Maar daar kwam ik pas achter toen de opgetrommelde persoon in kwestie met ernstig gezicht naast mijn legerstede zat. 'Wat doe jij hier?'

'Ziek zijn natuurlijk, dat ziet u toch?'

'Hé,' zei hij, 'ben je onze gewone omgangsvorm ook al vergeten?'

'Wat bedoelt u?'

'Onze gesprekken over schilderen, en koperdrijven, daar was jij mee bezig.'

'Koperdrijven?'

'Ja, ik zag de kaarsenluchter bij Edward Stam, dat was een magnifiek ding.'

'Hè? Wat voor ding?'

'Wim, wat is er met je aan de hand?'

Ik kon niet veel anders dan moedeloos mijn schouders ophalen. Zelfs dat was al bijna te veel inspanning. In de stilte die volgde kwam de herinnering aan de gesprekken met de pater langzaam weer boven. Ik wist weer wie hij was, pater Egmond. Niet iemand die met opgeheven vinger klaarstond om mij de les te leren. Hij zat er niet voor niets.

'Ik kwam je dokter tegen.' Dat loog hij, vernam ik later, deze aan God gewijde persoon. De dokters en zusters en mijn broer Jan hadden al een tijdje geleden de koppen bij elkaar gestoken en de pater uitgeroepen tot degene die mij de boodschap moest brengen. Ook hoorde ik later van Jan dat Egmond mijn aanwezigheid al een tijdje gemist had. Wat klopte, want ik lag in het ziekenhuis, die dag al bijna vijf weken, waarvan ik er meer dan vier op enkele fragmenten na nog altijd kwijt ben.

'De dokter is niet erg tevreden.'

'Wie wel.'

De priester was even van zijn stuk gebracht. In stilte staarde hij voor zich uit. 'De dokter is bang dat jij het niet haalt,' zei hij toen.

'Hoezo? Wat niet haalt? Ga ik dood?'
Alsof het over een vreemde ging.
'Zo kun je het wel stellen, ja.'
Dat was niet best. Daar had ik nog niet bij stilgestaan. De madeliefjes van de onderzijde. Door de medicijnnevels heen liet ik dat beeld even voor mijn geestesoog zweven, en het was allerminst aanlokkelijk. Minder aanlokkelijk zelfs dan het verblijf op deze rotkamer.

Nu begon hij over de laatste sacramenten. In deze hoogtijdagen van het 'rijke roomsche leven' waren ze er weliswaar wat happiger op de sacramenten te slijten dan tegenwoordig, maar het was hoe dan ook geen goed teken.

Het gezamenlijk gesmede plan slaagde. Het eten en drinken kwam weer op gang, mijn lichaam begon er wat minder Magere Heinachtig uit te zien. Ik was zeker nog niet de ouwe, maar de dood stond niet meer zo te dringen.

De weken waarvan ik niets herinneren kon, baarden de dokter, ondanks mijn herstel, grote zorgen. En pater Egmond evenzeer. Tijdens die slaapkuren had ik liggen schreeuwen en gillen en nog meer, over de oorlog en de rol die mij daarin was toebedeeld. De straffe van de boze sermoenen. Mijn onderwijs dat de mist in ging. De kans die frater Wibertus mij had willen en kunnen geven, belangeloos. Geweigerd, evenals het hulpaanbod van oom Jan en tante Mina. Allemaal beslissingen ten nadele van mij. Ik was opgeofferd aan het belang van anderen, dat was de enige mogelijke conclusie. Waarom zou ik dan verder moeten leven?

In die tijd hoorde ik dat iemand in de buurt zichzelf van het leven had beroofd. Ik raakte in een angstpsychose. De dokter en pater Egmond waren ten einde raad. Evenals mijn broer Jan. Mijn moeder zag ik maar één keer. Ze kwam herrie schoppen. Toen brak mijn weerstand. Ik was niets meer waard. Magere Hein deed een nieuwe poging, opnieuw bijna met succes.

Een tweede slaapkuur volgde. Daarna werd ik overgeleverd aan een professor in de psychiatrie. Zo belandde ik in het park. Dat gevaarlijke, immens grote en o zo aantrekkelijke park. Het park dat ik nooit vergeten zal. Een lawine van indoctrinatie en potten vol psychofarmaca bedekten alles, ook wat pater Egmond vroeger mijn creativiteit noemde. Ruim acht maanden had die professor nodig om mijn identiteit volkomen te begraven. Ik kon nu zelfs langs het elzenbos wandelen zonder aan de weer aangegroeide stompjes te denken die ooit waren gevallen onder het geweld van mijn botte zaag en hiep. Vakwerk dus, met een garantie tot aan mijn dood. Als ik tenminste mijn pillen braaf zou blijven slikken.

Op de afscheidsfoto stond Wim Tubbing. Althans, hij leek erop. Maar door alle medische troep en het gerotzooi herkende ik mezelf niet meer.

NEGEN

Het kaartenhuis dondert in elkaar

Ernstig keek de al wat oudere arts mij aan. 'Ook in moreel opzicht gaat u vrijuit. U heeft er geen slaatje uit willen slaan, u heeft pensioenrechten opgebouwd. Aan dat moeilijke bestaan, die continue druk, komt nu een einde.'

Bij deze definitieve afkeuring zou de druk weg moeten vallen. De druk van het werk. Maar het vooruitzicht bood geen enkele troost. Ik was al zo lang op zoek naar rust, dat ik de hoop die ooit te vinden inmiddels opgegeven had.

***

Februari 1984. Na mijn ontslag uit de Jelgersmakliniek, de psychiatrische inrichting waar ik tot twee keer toe verbleven had, leefde ik wekenlang in een soort luchtledig. Mijn conditie bracht ik weer op peil door te wandelen. Ik maakte steeds langere, steeds geforceerdere wandelingen. Volgens de professor had dat iets te maken met een verdringingsproces. Voor mij voelde het alsof er iets geamputeerd was.

Eindelijk was ik op het punt dat ik mijn leven richting kon gaan geven. Ik zou leraar worden. Een andere keuze was er niet. Zelfs de kist met gereedschap die ik had gebruikt voor de kaarsenluchter van Edward Stam liet me onverschillig. Het was rommel geworden, waar ik niets meer mee kon. Blikjes vol klinknagels en stukjes plaatkoper gingen naar de oudijzerboer en vulden mijn schrale financiën iets aan.

Na een paar maanden zag mijn leven er weer uit als voor de slaapkuren. Met als niet-waarneembaar verschil dat de onbestemde angst verdwenen was. Of ten minste goed ingekapseld, in beton.

De vooropleiding verliep zeer succesvol en de basisopleiding eveneens probleemloos. Vier jaar had ik de tijd om mijn leven een fundament te geven waarop ik verder kon bouwen. Dat had dokter Vereecken, mijn dagelijkse begeleider in de Jelgersmakliniek, voor me geregeld. Vier jaar; dezelfde termijn als Gerard had gekregen om naar de kweekschool te gaan. Na die vier jaar moest ik het zelf zien te redden.

Ik leefde niet royaal, maar meestal had ik genoeg, en meestal met eerlijk verdiend geld. Soms sprong de gemeente bij. In het laatste jaar van mijn studie kwam het moeilijkste gedeelte: wiskunde en natuurkunde. Ik slaagde erin me een baantje als natuurkundig laborant aan de Nijmeegse universiteit in te bluffen. Niemand die in het kunstig in elkaar gezette cv ging zitten graven en spitten. In de avonduren haalde ik bovendien het diploma avond-hts van het PBNA (Polytechnisch Bureau Nederland Arnhem). En een week lang was ik verliefd. Alleen een week. Vlinders in de buik en hevige fysieke reacties. Mariëtte moet gevoeld hebben dat ik eigenlijk een moeder zocht. Neem het een vrouw van tweeentwintig maar eens kwalijk.

Op de dag en het uur dat Francis en ik trouwden en de priester vroeg of ik Francis tot mijn echtgenote wilde nemen zei ik ja. Maar ik zag niet Francis, ik zag Mariëtte. Toen de woorden 'En gij zult zijn één vlees' door de kerk galmden, klonken die mij als een veroordeling in de oren.

Zo zijn we in de echt verbonden. Het voelde niet als een huwelijk. Het man-zijn en vrouw-zijn mochten we nooit beleven. Het ouderschap dus evenmin. Zo leefden we. We hadden niet de moed de kaarten op tafel te leggen en ernaar te handelen. Met pijn keken we naar de kinderen van anderen, maar we durfden de pijn niet met elkaar te delen. Naarmate de jaren vergleden raakte ons bestaan steeds meer vergiftigd. Maar geen van ons kan verweten worden dat we niet beiden geïnvesteerd hebben, dat we niet hebben gevochten.

Uiteindelijk zijn we gescheiden. Dat hadden we veel, veel eerder moeten doen. Juist omdat we, weet ik nu, van elkaar hielden. Ondanks alles.

'Meneer, aan dat moeilijke bestaan komt nu een einde.' De troost: een riante uitkering.

TIEN

Misschien een lichtpuntje

Voorjaar 1986. We keken naar het journaal. Meestal niets dan ellende, inclusief het weer. Afwezig tuurde ik naar het scherm. *Tom en Jerry* vond ik leuk, en enkele jaren eerder had ik het Engelse *Please Sir!* als voorbeeld beschouwd voor de pedagogische benadering van mijn leerlingen, maar daarmee hield mijn interesse in de televisie wel een beetje op, en leraar was ik al niet meer.

Maar vanavond had Maartje van Weegen een professor in de psychiatrie als gast. Niet zomaar een. Professor Jan Bastiaans. Hij liep door het park dat ik zo goed kende. Het gevaarlijke, aantrekkelijke park bij de Jelgersmakliniek. We zagen ook het huis, De Dependance, dat ooit een fraaie villa was geweest maar nu ernstig te lijden had onder achterstallig onderhoud. Iets van de statige uitstraling was wel behouden was gebleven.

De professor vertelde dat hij in dat huis mensen behandelde met een concentratiekampverleden. Nu bleek ook de reden dat hij werd geïnterviewd: hij was de laatste jaren de enige die zijn omstreden therapie nog mocht toepassen, die met lysergeenzuurdi-ethylamide – oftewel lsd, maar dat klonk meteen een stuk beladener. Degenen die zo geblokkeerd waren dat ze op gewone dieptebehandelingen niet reageerden, kregen van hem de drug toegediend. Met het doel iets uit ze los te krijgen, zodat ze zouden gaan praten over gebeurtenissen die ze verzwegen uit schaamte, dan wel uit het gevoel een slappeling te zijn. Gebeurtenissen die ze diep hadden begraven in de rommelhoeken van hun geest.

Er begon iets in mij te roeren, vervolgens te wroeten en langzaam kristalliseerde het zich uit. Francis, die het merkte, vroeg: 'Wat zit jij gespannen te kijken?' Ze wist dat ik meestal niet al te geïnteresseerd was in de 'doos', zoals ik hem noemde.

'Zou die professor iets voor mij, voor ons kunnen doen?' stelde ik mijn vraag hardop. 'Niet alleen voor mijn stem die blokkeert, maar ook voor mijn man-zijn.'

Francis keek strak voor zich uit. Zij was ongewild de dupe van mijn blokkades. De pijn die zij daarbij moest voelen kon ik me nauwelijks voorstellen. Niet het vrouw-zijn te mogen beleven, niet het moederschap. Als Ans, haar tweelingzus, oma zou worden, zou dat opnieuw een dieptepunt voor haar betekenen.

Ze bleef zwijgen. 'Voor mij hoeft het niet,' zei ze uiteindelijk. 'Voor mij hoef je het niet te doen.'

Ik had haar moeten vragen waarom. Maar wij spraken zo weinig tegen elkaar uit, veel te weinig. 'Als jij denkt dat we daar iets mee op zullen schieten, dan moet je die professor schrijven, of bellen.'

Als jij denkt... Waarom zeiden we niet tegen elkaar wat onszelf bezighield? Wat er pijn deed, en alleen nog maar meer omdat we die pijn niet met elkaar konden delen? Was het op?

Ik schreef en ik kreeg een vriendelijke brief terug, die me erg in tegenspraak leek met het stuurse uiterlijk van de man. Ik dacht erover na. Over de consequentie als het weer niks uit zou halen; de zoveelste domper. Ik schreef hem opnieuw en legde hem mijn probleem voor. We werden uitgenodigd voor een gesprek.

Op een mooie zomerdag, precies negentien jaar nadat ik mijn akte natuurkunde, mechanica en scheikunde haalde, de moeilijkste van allemaal, gingen we er samen heen. Dat moest toch een teken zijn. Het gesprek verliep emotioneel. De professor zei dat ik tien of vijftien jaar eerder had moeten komen. Op de vraag wie me destijds bij de Jelgersmakliniek behandeld had, keek ik hem verwonderd aan. 'Professor Carp,' antwoordde ik naar waarheid.

'Niet dokter Stokvis?' vroeg Bastiaans.

'Nee, de professor zelf. Ja, hij wees een assistent aan, een broekie, die heb ik verder gelaten voor wat-ie was.'

De professor zuchtte.

'Is daar wat mee?' informeerde ik voorzichtig.

'Nee, nee, u zult het wel gaan begrijpen. Luister goed. Als u hier begint, kunt u wel weggaan, maar niet terug. Alle narigheid wordt opgerakeld, en dat kan niet meer ongedaan worden gemaakt.'

Ik begreep het. Het verleden zou terugkomen en zich niet meer laten verdringen. Maar het alternatief werd bepaald door constante spanning en migraineaanvallen, waar ook Francis onder leed. Soms lag ik zes dagen lang bewusteloos van de koppijn in het ziekenhuis, en dat kon elk moment gebeuren. Het werd ons te veel.

De professor legde uit hoe hij de bewoners behandelde. Hij beschouwde ons niet als ziek, integendeel. 'Het zijn de stillen en de sterken die bij mij komen,' zei hij, en vervolgens: 'Hoe oud bent u?'

Het klonk als een vreemde vraag. Op mijn antwoord herhaalde hij: 'Was tien jaar geleden gekomen.'

Tien jaar, dacht ik. Tien jaar geleden woonden wij nog in Gendringen en dachten we redelijk gelukkig te zijn, als... Altijd als.

'U hoort zo spoedig mogelijk van mij.'

Het werd de dag na onze trouwdatum dat ik weer van

hem hoorde. Al tweeëntwintig jaar waren we geen man en vrouw. Broer en zus, zo noemde Francis ons huwelijk. Ik durfde niet eens op verandering te hopen. En zij? Ik vroeg het niet. Weer een kans die ik voorbij liet gaan, weer een. En waarom?

ELF

De eerste dagen

De dag na die van ons trouwfeest brachten Ans en haar man Gerard ons naar Oegstgeest. Zo hoefde Francis niet te rijden, en konden we nog iets maken van de dag. Nadat Gerards auto na het afscheid weer door de smeedijzeren poort verdwenen was, met ook Ans en Francis erin, ging ik naar binnen. Ik werd onthaald door Erik R. Hij gaf me een voortreffelijke kop koffie, en daarmee gingen we naar boven, waar Erik me uitlegde wat er te gebeuren stond. Een narcoanalyse, oftewel 'zitting'. Hij nam me mee naar kamer 8, de behandelkamer, om deze te laten zien. De kamer had gelukkig niets weg van de kamer met de groene deur en de gesausde muren die me onaangenaam vertrouwd was geworden tijdens mijn verblijf in de Jelgersmakliniek.

'De professor brengt je in slaap. Dat duurt ongeveer een kwartier. Daarna probeert hij met je te praten.' Inderdaad, alles wat is weggestopt in die gebieden van de geest waar we liever niet komen omdat het niet te verdragen is, dat alles probeert hij boven te halen. Want het speelt toch weer op, op de een of andere manier. Ook Erik wees me op het nadeel dat Bastiaans al had genoemd. Je kunt wel weg, maar niet terug. Alles wat realiteit wordt gaat pijn doen, steeds weer, en niet zo'n beetje ook. Daarom werd alles op een bandje gezet. Je luistert het net zo lang af tot je gewend bent aan de inhoud, net zo lang tot de geladenheid er een beetje van af is. Je wordt herinnerd aan dingen waaraan je liever niet herinnerd wordt. De gewenning moet zijn werk doen.

We keken stil voor ons uit. Ik vroeg me af waar ik aan begonnen was. Maar het was mijn laatste hoop.

Die middag had ik de eerste zitting. De zachte plumeau waarmee aan het begin ervan over mijn gezicht werd gestreken bezorgde me geen genot. Dat werd verstoord door de migraine. De professor leek wel een beetje op mij. Jantje ongeduld. 'Dat gaat wel weer over,' was het enige wat hij over de hoofdpijn had gezegd. We moesten hoe dan ook meteen aan de slag.

Hij had gedeeltelijk gelijk. Door die sessie zakte de hoofdpijn inderdaad een beetje, ik was iets ontspannener geworden. Ook had in de koffie een sterk slaapmiddel gezeten, en na afloop van de behandeling werd ik afgevoerd naar bed. Ook hier kreeg ik 's nachts een helpende, medicinale, hand. Even dacht ik dat die hand er echt was en dat er een hand over mijn voorhoofd streek, wat me achteraf een geweldige huilbui opleverde.

De volgende dag was ik mijn stem kwijt. Anderhalve week kon ik geen woord uitbrengen. Maar niemand leek zich er zorgen om te maken. Ze lieten me mijn gang gaan, en ik benutte mijn tijd met het opnieuw verkennen van het park. Het was nog meer verwilderd dan toen ik er de vorige keer was, en daarmee nog aantrekkelijker. Drie, vier keer per dag ging ik naar buiten. Francis bracht mijn fiets mee.

Toen mijn stem weer meewerkte kon ik praten met mijn huis- en lotgenoten. Medepatiënten mocht ik ze niet noemen, daar wilde de professor niets van weten. Het zijn de stillen en de sterken die bij mij komen. Meestal te laat, maar dat zei hij er niet bij. Daar kwamen we zelf wel achter.

Hij was onverstoorbaar, ging altijd door, wat er ook tegenzat, want alles wat hij bereikte was meegenomen. Mijn tweede sessie verliep makkelijker. Zelfs het in slaap aaien met de plumeau kreeg ik dit keer goed mee. Het afluisteren van de bandjes was pijnlijk en onthutsend. Maar wat ik hoorde voelde de dag daarna, inderdaad, al een beetje vertrouwd.

En weer een dag later kocht ik in De Kempenaerstraat een beugel en een stuk touw. Die legde ik in de kast die mij hier ter beschikking stond. Nauwelijks verborgen. En sowieso niet voor lang.

TWAALF

Het elzenbos van boer Geesink

Met een venijnige ruk wordt de deur in het slot getrokken. Er klinkt licht geknars, gevolgd door wegstervende voetstappen. Dan ben ik alleen. Ik voel pijn op de plek waar ik een prik heb gekregen, en in mijn knie, want in een reflex heb ik van me af getrapt. Maar de pijn zakt alweer weg, het licht van de lamp wordt vager, de vergetelheid ontfermt zich over me.

***

Moeizaam zeul ik de enorme bolderkar achter me aan over het drassige pad. Soms moet ik met beide armen gestrekt de kar door de modder trekken, tot er weer een begaanbaarder stukje weg komt. Boven mij is de wolkenlucht dreigend, bereid mij elk moment nat te regenen. Toch durfde ik niet te weigeren. Geen hout, geen eten: dat was me wel duidelijk gemaakt.

Eindelijk ben ik in het bos. Ik trek de bolderkar een paar meter tussen de bomen door, soms hobbelt een wiel over een stobbe, waar ooit een els heeft gestaan. Net zo lang tot ik op een plek ben waar je vanaf het pad niet kunt zien wat hier te gebeuren staat. Alleen de donkere wolken zien dit aan, en de elzen om mij heen ontgaan mijn bezigheden evenmin. Hun soortgenoten sta ik naar het leven. Bomen hebben gevoel en kunnen denken, ze reageren op mijn handelen, maar veel merk ik er niet van. Nog niet. Ik kijk even naar boven, naar de lucht, die nog dreigender is geworden.

Pats, een koude druppel valt in mijn nek. Pats, nog een, en nog een. Het begint te regenen, een constante dikke stroom. En het wordt donker, dreigend en donker. Maar niet door de regenbui. Het lijkt of de bomen dichter op elkaar gaan staan. Nee, ik vergis me niet, ze staan dichter op elkaar. Ze sluiten me in. De anders al niet al te heldere stammen van de elzen zien nu gitzwart, samen vormen ze een blok. Een compacte houtmassa, die eropuit is mij van de buitenwereld af te sluiten.

De paniek grijpt me naar de keel. Haastig laad ik een paar klaarliggende stukken hout op de kar. Dan maar boze sermoenen, hier houd ik het niet langer uit. Ik heb het bos naar het leven gestaan, nu zint het op wraak. Het uur van vergelding is aangebroken. Krak, de bolderkar schampt een stam. Een stuk schors hangt er slordig bij. De disselboom slaat uit mijn handen en raakt een andere els. Ik wrik hem weer recht en probeer de kar langs de beschadigde boom te krijgen. Een andere els belet de doorgang.

Ik overweeg de kar te laten staan. Wat zijn de consequenties? Zonder kar en zonder hout thuiskomen? Onmogelijk. Ik ruk hard aan de kar om hem tussen de nu dicht op elkaar staande bomen door te trekken, en beschadig daarmee weer een boom. Er klinkt gegrom. Is het onweer? Nee, het is geen onweer. De takken boven mij hebben zich nu bijna aaneengesloten. Het dak weerhoudt de regen ervan mij geheel te doorweken. Ik wil gillen, het bos uitrennen. Een donderslag. Toch onweer. Voor mij valt een els, zijn val beschadigt zijn soortgenoten. Ik struikel erover, en val ook. Mijn hoofd raakt de stobbe van een els die door mijn botte zaag en hiep gesneuveld is, een boom die allang tot as is vergaan. Duizelig probeer ik op te staan, wat niet lukt. Met een hels gekraak valt er weer een els.

Nu dringt er nog iets anders tot me door. Ik probeer de angst te negeren en me erop te concentreren. Ik spits mijn oren om te achterhalen waar het geluid vandaan komt. De kant van het pad, het pad dat ik bereiken wil. Maar de elzen laten me niet gaan. Zij zinnen op wraak en nu is het uur gekomen. Ik ben de prooi. Dit bos laat mij niet meer gaan.

Opnieuw het geluid. Een stem. Niet sarcastisch, als die van de verpleegkundige of de grote zuster. Een mannenstem. Een zware stem die niet onvriendelijk, doordringend mijn naam roept. Wim, Wim! Hoor je mij? versta ik ook. Waar ben je Wim? Dan komen we je halen!

Eindelijk kan ik schor van angst antwoorden dat ik in het bos ben. In het elzenbos, het bos dat me niet wil loslaten. De stammen zien al wel wat minder zwart. En er is weer wat lucht zichtbaar boven me. De regen neemt af.

'Hoe kwam je in dat bos?'

Ik weet het niet meer.

'Vertel het me. Je weet het vast nog.'

De stem klinkt nu minder zwaar en haast wervend. Vertel het ons, vertel ons hoe je in dat bos kwam en wat je er deed.

Zachtjes herhaal ik: Ik weet het niet meer.

Als ik mijn ogen open is het bos er niet meer. Naast mij zit de professor. Daarnaast Erik R., en assistent Minke, die bezorgd toekijkt. 'Wil je een beker koffie?'

De koffie komt en de professor vraagt nogmaals naar het bos. Het is of alles verdwenen is. Ik zal het me verbeeld hebben.

De professor vindt het tijd voor een roesje, zijn middel om voor sommigen van ons de hel wat te relativeren. Maar diezelfde dag lukt dat niet meer. Tijdens het roesje komt alles uit de oorlog weer boven. Of, zoals de professor het zegt:

‘Dat stuk van jouw geest hebben wij eens goed uitgestoft.’

Enkele dagen later ligt de eerste es uit het park in de oude schuur. De eerste van vele.

DERTIEN

Het park en de schuur

De zittingen met natriumthiopental bleken na een keer of vijf niet meer effectief. De professor besloot zwaarder geschut in te zetten. Lyserginezuurdi-ethylamide, oftewel lsd. Dat moest de munitie zijn die een bres in mijn blokkades zou slaan.

Tegen die tijd had ik het gevaarlijke maar zo aantrekkelijke park alweer tot in de verste uithoeken verkend. Ondanks de verwildering wist ik er precies de weg. Zo wist ik waar lotgenoot Joost uit Delft de dood had gezocht en gevonden, wat ook mij soms een aantrekkelijke uitweg toescheen, want met het voortslepen van de tijd en het hak- en breekwerk van de professor ontdekte ik steeds meer hoe groot de aangerichte schade was.

De professor had ons eens gezegd dat het leven te kort was om te rouwen. Toch probeerde hij naast de reguliere behandeling een rouwproces op gang te brengen. Hij legde uit dat rouwen en verdriet positieve bezigheden zijn, terwijl depressies en angsten in je nadeel werken. Over die lessen dacht ik na in het park. Ik leerde er weer huilen.

Niet alleen om mezelf. Ook om Francis, en om mijn lotgenoten. En langzaam, ongemerkt, begon ik het park met andere ogen te bekijken. Ogen die meer in contact stonden met wie ik vroeger was. Dat proces ging door en door, totdat er vertrouwde attributen uit mijn verleden aan te pas kwamen, zoals een zaag en een touw. En een mooie traproede, die ik in de oude schuur vond. Daarvan boog ik een haak. Ik leerde de haak om een hoge tak gooien, en zo viel de eerste es. En de tweede, en de tiende.

Die oude schuur waar ik vaak kwam stond achter het huis, achter de Dependance. Het was eigenlijk een prachtig gebouwtje, met fraai metselwerk en sterke deuren met grote, bijna vierkante ramen. Het was alleen volledig verwaarloosd, en lag vol met vergeten spullen.

Soms hoorde ik er geluiden, alsof er iemand aan het slopen was. Alsof iemand ergens mee gooide, ergens tegenaan sloeg, tegen iets wat zich kennelijk niet gewonnen gaf. Het geluid kwam uit het gedeelte van de schuur waarin ik de essen wilde onderbrengen, om er blokken van te kunnen zagen.

Zo ontmoette ik Anne. De eerste keer dat ik haar daar aantrof schrok ze, waarna ze me hortend en stotend uitlegde dat dit haar manier van rouwen was. En van woede uiten. Ze sloeg met een stuk steen tegen wat dan ook aan en gooide stenen tegen de met staal omlijste ramen. Het glas was zo goed als onbreekbaar. Ze gooide en sloeg als verweer tegen het leven, dat zo gruwelijk wreed voor haar was. En als wraak. Ze had de hel van Bergen-Belsen overleefd, plus een huwelijk dat weinig beter was. Ze vertelde me details terwijl haar stenen de ramen belaagden.

Niet veel later waren we er beiden aan het werk. Alleen was mijn insteek berekender. Ik wilde het hout op de een of andere manier in mijn huis zien te krijgen. Als brandhout. Goed voor warmte en veiligheid. Zo bezien was het een heilige en onzalige bezigheid tegelijk. In het park, waaruit ik het jatte, stond zeker zo veel als vroeger in het bos van boer Geesink. En ik had bovendien de keuze uit els of es.

Es is beter, veel beter. Het brandt langer en geeft meer warmte af. Maar eerst moest het goed drogen.

Ik werkte overdag, bij daglicht. Anne ventileerde haar verdriet en boosheid ook 's avonds, en soms 's nachts, als ik zat te rummikuppen. Dan kwam ze terug uit Bergen-Belsen, waaruit de professor haar zojuist had bevrijd. Ze sloeg en gooide, ik zaagde en hakte. Iets beters konden we geen van beiden bedenken.

Het was in deze tijd dat ik leerde dat ik niet per se de harde, afstandelijke persoon was die ik zijn kon. Het was alsof mijn gevoel losbrak uit de inkapseling waarin het sinds de jaren vijftig, en misschien al eerder, verborgen had gezeten. Het mocht weer getoond worden. Mijn stemblokkade hief zichzelf op, het ging vanzelf. Heel langzaam leerde ik ook weer affectie verdragen. Een kameraadschappelijke aai over mijn haren had niet langer een huilbui tot gevolg, maar veroorzaakte nu eerder verwondering, omdat het gebaar me onbekend was. Eindelijk mocht ik ervaren hoe het is om als kind van vier te worden vertroeteld, en bemind. Met het verschil dat ik geen vier meer was.

In februari dat jaar schreef ik mijn eerste gedicht, een paar dagen later nog een. Het was een bijzondere bezigheid. Ik begon eraan zonder het einde te weten. Na het eerste gedicht was ik bang dat het misschien een toevalstreffer was, maar er kwam nog een gedicht, en nog een. Gedichten en tekeningen waarvan ik de herkomst niet vermoedde. Ze waren van mij, mijn werk.

Het voelde als winst. Daartegenover stond het besef dat iets helemaal, onherstelbaar vernield was. Door dat besef lukte het me te dichten. Het leven kan onredelijk zijn.

***

Op een keer, toen de haak losschoot, viel een grote es in het water van de wetering. Niet veel later stond ik tot mijn borst in het water de stam in stukken te zagen om die naar de schuur te brengen, waar Anne weer of nog altijd bezig was. Drijfnat kwam ik er binnen.

Al na een paar dagen wist de professor wat er in de schuur gebeurde. Het was niet Anne die het hem had verteld. Dat zwoer ze me, wat niet eens nodig was. Ik geloofde haar zonder meer. En ook de professor bevestigde het. Wie het hem dan wel had verteld, hoefde ik eigenlijk niet te weten.

Begin april, tijdens een sessie met lsd, zag ik het ineens glashelder in. Ik begreep wat ik kwijt was, voorgoed. Mijn man-zijn, onder andere. Ik begreep ook uitbehandeld te zijn. De professor bevestigde dat we moesten gaan afbouwen.

Gemaakte vrienden gingen mij voor, naar huis of een andere plek. Met winst? Met verlies? De wetenschap dat het haalbare wellicht gehaald was, was voor mij een grote desillusie. Geen man. Geen vader. Geen vrouw. Laat staan het moederschap.

Francis sprak met de professor over scheiden. Ze had meer moed dan ik. Maar ze deed het niet, nog niet.

VEERTIEN

Déja vu

Bij mijn thuiskomst voelde ik me ontheemd. Francis was er, maar ons weerzien voelde niet als een hereniging. Er was niets feestelijks aan. Haast boos van teleurstelling laadde ik het brandhout uit de aanhanger. Ik vroeg Francis of ze meeging om de rest op te halen.

'Als je me even bij mijn vader en moeder kunt afzetten, dan is mij dat net zo lief.'

Dus reed ik de A12 af en even later weer alleen, en nu echt boos, gefrustreerd, haast woest, naar Oegstgeest en terug. Ik laadde de aanhanger vol en borg ook nog aardig wat hout achter in de auto. Het laatste en grootste stuk stond naast me, op de stoel van de bijrijder. Keurig in de gordel, en nog eens beveiligd met een extra stuk touw.

Weer onderweg van Den Haag naar Utrecht realiseerde ik me dat Francis daar straks moest zitten. Dus parkeerde ik de Opel vlak bij de Ginkelse Heide en bond het grote stuk hout boven op het hout in de aanhanger, in de hoop dat de vering het gewicht zou kunnen houden. Nu was ik gedwongen rustig te rijden, de auto zou mijn woeste gedrag niet langer aankunnen.

Ik dronk een kop koffie mee bij vader en moeder Ewald en samen keerden Francis en ik terug naar huis. De stemming was bedrukt. Onderweg leek het er een paar keer op dat Francis verhuld over scheiden sprak, maar ik negeerde het onderwerp uit alle macht.

Thuis laadden we de auto en de aanhanger uit en probeerden alles weer een beetje op de rails te krijgen. Maar dat laatste bleek moeizaam, haast onbegonnen werk. Ik was meer veranderd dan ik besefte, en ook Francis had zich in mijn afwezigheid verder ontwikkeld. Er was simpelweg geen redden meer aan. Maar ik weigerde het onder ogen te zien.

Misschien, als we in deze periode met elkaar gesproken hadden, was er een kans geweest. Maar ook op communicatief gebied kwam er geen verbetering. En de tijd vergleed.

Een week of drie later belde Cees. 'Voor jou,' zei Francis, die de telefoon opnam. 'Cees.'

Cees kende ik van het mooie landgoed bij de professor. We hadden tijdens het vele rummikuppen een band opgebouwd. Hij had gehoord dat in Ede op een landgoed brandhout was te krijgen. Gratis. Was dat niet iets voor mij?

Wat hij eigenlijk leek te zeggen was: als er gratis hout is, hoef je het tenminste niet te stelen. Maar zo zou Cees het nooit verwoorden. Hij was op de hoogte van mijn bezetenheid met brandhout, en begreep dat het de prijs was die ik moest betalen. Maar hij had toch liever niet dat ik het stal.

Naam, locatie en telefoonnummer werden keurig voor me gespeld en als ik wilde, kon ik meteen op pad.

Dat deed ik. En hij had gelijk. Het hout lag er voor het oprapen en even prees ik me gelukkig; mooi, zwaar eikenhout, al in stukken van ruim een meter gezaagd. Maar het tochtje leerde me iets. Iets onheilspellends. Het bleek niets uit te halen als ik hout kreeg of kocht. Geen van beide leverde me de voldoening op mijn plicht te hebben gedaan.

Tijdens de rit, die dus al met al voor niks was, los van dat inzicht, veroorzaakte ik ook nog eens een klein ongeval, met als gevolg een te betalen schade aan een automobilist die ik niet wist te ontwijken. Plus een fikse bon voor een te zwaar beladen aanhanger. Een deel van de vracht moest ik bij Cees achterlaten, die zou ik de volgende dag ophalen.

Francis was kwaad vanwege alle troep die ik maakte. We kregen ruzie. Daverende ruzie. 'Heb jij de auto soms nooit in elkaar gejut?' bracht ik uiteindelijk in, zinspelend op een lang vervlogen voorval. Francis zweeg, en ik voelde me misselijk dat ik die oude koe uit de sloot had gehaald. Maar ik was vooral onwel vanwege het feit dat de voldoening uitbleef. Moest ik hout gaan stelen? Hier? Het hout in Oegstgeest was weliswaar ook gestolen, maar kon ik het maken om het in onze eigen omgeving te doen?

Hoe dan ook moest alles anders. We moesten niet langer verlangen naar het onmogelijke. Ik stelde Francis voor samen een grote reis te maken, maar daar voelde ze niks voor. Ook in mijn plan om een cursus autorijinstructie te volgen zag ze geen heil, en deskundige hulp voor Francis zoeken leek haar al helemaal zinloos. Het werd pijnlijk duidelijk dat we geen kant op konden. Of wilden?

Het voelde akelig vertrouwd, alsof ik het al eens eerder had meegemaakt. Eind januari 1989 ging Francis weg. En bleef ik alleen achter. Opnieuw alleen.

VIJFTIEN

De treinen met hout

Daar ben ik weer, in de kamer met de gesausde ramen en de groene deur. De lamp is nog aan en mijn zoveelste kennismaking met de granieten vloer is goed verlopen, dat wil zeggen: ik leef nog, op te maken uit de ruziënde stemmen die mijn oren teisteren. Het onderwerp is evengoed onsmakelijk; poep. Het gordijn wordt weer gesloten, het laatste wat ik nog meekrijg is een glimp van het gelige lamplicht.

Dan verandert er iets. De kamer wordt één grote ruimte. De wanden verliezen zich in de verte. De overheersende kleuren zijn mijn lievelingskleuren: rood en zwart. Er zijn ook andere kleuren, maar die zijn ondergeschikt aan die twee dominante.

Aan één kant van de ruimte lopen stalen spoorrails, langs het zwart. De rails verdwijnen in de hoogte. De andere kant van de ruimte is drukker. Daar zijn vijf identieke banen.

Ik bekijk dit alles vanuit mijn liggende positie met een belangstelling die voor de verandering eens niet voorkomt uit angst. Mijn oren zijn gespitst, wat meestal onaangenaam is omdat de aanleiding van de angst dan kans krijgt zich volop te manifesteren. En al ben ik niet bang, ook nu zijn de signalen die op mij afkomen allesbehalve aangenaam. In de verte hoor ik metalige geluiden, die me doen denken aan de warmwalserij van Rijnstaal, waar buizen werden vervaardigd en waarin het mijn taak was om boven de heksenketel een portaalkraan te repareren. Maar bang ben ik niet.

Het geluid wordt steeds eentoniger, en harder. Het is nog net niet oorverdovend. Ik heb geen keuze dan het te ondergaan, en ik moet denken aan die oude Chinese martelmethode waarbij een veroordeelde onder een grote, ouderwetse klok wordt gezet die vervolgens wordt geluid. Het moet een vreselijke dood zijn. Geen mogelijkheid te ontspannen, alleen maar in afwachting van dat waarvan je eigenlijk al weet dat het komen gaat. Net als ik nu.

Op wat denk (en hoop) ik het hoogtepunt van het kabaal is, wanneer ik zover ben dat ik alleen nog maar kan verlangen elk moment het bewustzijn te verliezen, komt er aan de zijde waar slechts één railbaan is een locomotief aangereden. Dat wil zeggen, de sciencefictionuitvoering van een locomotief. De ketel achter de brede ronde bumper is niet rond, zoals het hoort, maar heeft een ellipsvormige doorsnede. Ook is hij nogal lang. De pijp die bij een gewone locomotief de rook uitblaast is vervangen door een dikke, naar achter gebogen buis die in weer een andere ketel verdwijnt. Daarboven is een transparante bol, misschien van glas, onbreekbaar glas, met daarin een bedieningspaneel waarop de lampjes om de beurt rood en groen oplichten. Geen mens te bekennen.

De locomotief trekt een aantal platte wagens achter zich aan, waarop rijen met boomstammen zijn gestapeld. Vier, nee vijf volgeladen wagens razen achter het voertuig aan.

Nauwelijks is de trein voorbij of het geluid aan de andere kant van de ruimte wordt haast ondraaglijk. Alsof het weer oorlog is en er een jabo* neerduikt op een object in mijn naaste omgeving – een geluid dat door merg en been snerpte en je deed verlangen de grond in te kruipen of zelfs te ver-

---

* Een bommenwerper van de geallieerden.

dwijnen, alles om er maar aan te kunnen ontsnappen.

Maar ik kon niet ontsnappen. Net als toen kon ik ook nu niet ontsnappen.

Vijf volstrekt identieke locomotieven, zowel aan elkaar gekoppeld als aan de trein die eerder voorbijreed, komen nu aangereden, met daarachter vijf met stammen volgeladen wagens. Met razend geweld stormen ze omhoog, langs mij heen. Ja, omhoog, maar dat is voor mij op dit moment niets verwonderlijks. Wat wel vreemd is, is dat ze als ze al kilometers verderop moeten zijn, nog altijd op de hoogte van mijn bed lijken te zweven. Het ziekenhuisbed dat op dit moment het enige lijkt te zijn wat ik nog heb. Het bed dat ik zo goed ken, omdat het zo ongastvrij is me er steeds opnieuw uit te gooien. Zo voelt dat althans. Hoog boven mij zie ik het metalig glanzen van die zes stalen rails. Maar het geluid wordt maar niet minder.

Waarom raak ik niet buiten bewustzijn? Ondanks het afgrijselijke lawaai kan ik het niet nalaten te blijven kijken. Mijn mond is droog van de spanning, mijn maag een harde bal. De angst is alsnog gekomen.

Nu beginnen de rails, die dikke stalen staven, te buigen. Ze buigen naar elkaar toe. Als bamboestokken of groene staken om een hut van te bouwen. Maar ze raken elkaar niet aan. Ze richten zich langzaam naar beneden, totdat heel hoog boven mij alle railsuiteinden verticaal naar beneden zijn gebogen. De treinen, nog maar zo groot als rupsjes, komen weer in zicht. Ze zijn nog zo ver dat het miniatuurtreintjes lijken, het zwart, het rood en de stammen zijn niet te onderscheiden. Gezamenlijk vormen ze een vijfhoek.

Een vijfhoek?

Het lijkt net of de rupsjes op de naar beneden gebogen rails allemaal naar één punt gaan, maar dat is slechts schijn. Maar waar ik die vijfhoek van ken? Ik doe mijn uiterste best na te gaan waar die te plaatsen, maar het lukt niet. Het infernale geluid wordt ondertussen niet meer en niet minder. Nu de treinen de bochten door zijn zie ik alleen de voorneuzen op me af komen. Binnen de vijfhoek is het verder donker.

Nee, toch niet helemaal. Ik zie heel klein, maar heel duidelijk twee metaalkleurige punten. Ik vermoed dat het de railseinden zijn van de enkele trein aan de andere kant van de kamer.

Nog altijd kan ik geen kant op. Ze stormen recht op mijn ziekenhuisbed af. Hoelang zal het nog duren? Wat zal de verpleegkundige klagen dat ze naast de poep nu ook die treinen moet opruimen. Ik zal vast moeten helpen, net als met de poep, voordat de gordijnen weer dichtgaan.

O nee, dat kan niet. Toch?

In het donkere stuk van de vijfhoek, met alleen de twee punten erin, verschijnt nu de trein die ik het eerst hoorde en zag. Voor mij is het meteen duidelijk en heel logisch dat deze rails pas veel hoger in de ruimte zijn omgebogen, zodat deze trein boven de andere terecht zou komen, die onversaagd doorstomen en naar ik verwacht elk moment boven op mij zullen storten.

Ik zucht. Is dit de straf voor al het hout dat ik van mijn ouders jatten moest? Had mijn vader dan toch gelijk dat ik hem verdriet deed? Hoe had ik anders aan hout moeten komen? Of was het geen goed hout? Misschien te nat? Niet geschikt voor het opwarmen van zijn scheerwater?

Het zal nu wel afgelopen zijn. Het aangedane leed uitgeboet. Vermorzeld onder de treinen en het hout.

Maar dan remmen de treinen gierend af. Het lawaai houdt aan. Het lijkt wel of ze nu in vrijloop op hun hoogste toeren draaien, met het doel om een maximum aan geluid te produceren. De eerste, nu de zesde locomotief wordt ondertussen groter en groter. De grote bumper en de ellipsvormige ketel met daarboven die transparante bol vullen mijn hele gezichtsveld. De bedieningspanelen met de oplichtende groene en rode lampen. Geen mensen. Nog altijd geen mensen.

Zullen ze zich echt op mij laten vallen?

Ze zijn nu allemaal buiten mijn gezichtsveld. En allemaal bijna even groot. Ik sluit de ogen. Wat een verspilling om een mens kapot te maken...

Maar met een slag en een stoot stoppen de treinen, net boven mij. Voor mijn gevoel zou ik de railseinden aan kunnen raken. Het metalige geluid verandert in gekrijs. Steeds harder. Dan wordt het stil. Heel even wordt het helemaal stil. Maar ik leef nog, en lig weer naast het bed.

Het geluid waarvan ik even dacht dat het weg was, blijkt teruggebracht tot het agressieve suizen in mijn hoofd. Op de vloer naast het bed vind ik mezelf terug. De meegetrokken deken ligt boven op me. Ik bevrijd me ervan.

Dan gaat de telefoon. Mijn oude buurman, ik herken zijn stem. 'Wim, wat is er? Wat gebeurt daar bij jou? Kunnen we iets doen?'

Ik antwoord hem dat het gaat. Uitgeput sjok ik daarna de trap af, maak een beker melk met honing en dwaal door het huis. Dan begin ik te huilen. Dat lucht op. Evenals de wetenschap dat niemand het kan horen.

De volgende dag verontschuldig ik me bij de buren. Er worden niet veel woorden aan vuil gemaakt. Het is niet mijn eerste nachtmerrie, en het zal niet de laatste zijn. Ik heb het geluk in een vrijstaand huis te wonen. Niet alleen vanwege het geluid is dat gunstig, meer nog omdat ik daardoor ongemerkt aan de drang kan toegeven, en me op die manier kan verzekeren van een paar maanden rust als gevolg van dat ik mijn plicht heb gedaan.

ZESTIEN

De tijd en de bossen

Maanden later hebben stapels geprint papier in de brievenbus me duidelijk gemaakt dat ik gescheiden ben en eigenaar van een spookhuis. Die laatste eigenschap openbaarde zich pas na het tekenen van de eigendomsakte, anders had ik me misschien wel bedacht.

Toen Francis er nog was sliepen wij beneden, in een kamer met een hoog plafond aan de achterzijde van ons, nu mijn, huis. Meteen nadat Francis vertrokken was verhuisde ik naar boven, en zorgde dat daar een ander bed kwam te staan.

Een ander onwelkom verschijnsel dat zich rond deze tijd openbaarde waren mijn oogklachten. De aandoening bleek erfelijk te zijn. Beeldbuizen werden onmiddellijk uit het spookhuis verbannen. Een tekstverwerker was ook taboe. 'Het spijt me, meneer.'

En schrijven dan? Ik leerde omgaan met een oude, haast onverwoestbare kantoormachine, en werkte voortaan als een typejuffrouw uit de jaren vijftig, met middeleeuws tempo. Zolang de dagen licht waren en voortduurden was er geen probleem. De lange wandelingen over en door de Slangenburg kortten ze in tot acceptabele lengte. Bovendien hielpen ze me bij het verwerkingsproces, en ontstonden tijdens deze wandelingen gedichten en verhalen. Al mijn boeken komen voort uit die wandelingen.

Maar ze brachten ook iets anders met zich mee. De Slangenburg en alle andere bossen van Oost-Gelderland wezen mij op haast perverse wijze op de vele mogelijkheden aangaande mijn plicht. Meestal was het zelfs heel gemakkelijk, of het moet zijn dat ik het risico niet zag. Een stukje stam dat zich achter in de auto laden liet. Een omgevallen stam die niets anders deed dan weg liggen rotten. Over betrapt worden dacht ik nauwelijks na. Een blik naar links en een naar rechts, dat was het. Als de kust veilig was meteen inpakken en wegwezen. Zoals ik ook deed toen ik in het Reichswald een bon kreeg, die met negentig mark verhoogd werd toen ik op hoge toon, en veertig jaar na de oorlog, mijn door de vijand gejatte fiets terugeiste.

Soms woog ik een 'gevonden' stuk hout. Er waren erbij van vijftig kilo, één keer zelfs tweeënzestig. Ik verwonderde me erover dat mijn rug dat allemaal hield.

Hoe dan ook redde de Slangenburg mijn leven. Bij nacht en ontij zwierf ik er rond. Aan paden hield ik me niet. Schrammen en gescheurde kleding konden me niet deren. De woede zakte. De in gang gezette rouwprocessen van de professor haalden iets uit. Soms, als een klein wonder, ervoer ik wat rust en vrede.

De open haard in mijn spookhuis verdween en maakte plaats voor een echte houtkachel. Gestookt met hout. Hout geeft een heel andere warmte af dan kolen of gas. Het was de enige vorm van warmte, wist ik inmiddels, die mij kon bereiken. Achter mijn huis had ik inmiddels een grote voorraad aangelegd.

Met terugwerkende kracht begreep ik de gesprekken met de professor, buiten de zittingen om. Zijn filosofie die aan zijn behandeling ten grondslag lag werd me steeds duidelijker. Duidelijker dan me lief was. Hij had geprobeerd terug te keren naar de toestand van voordat het trauma toesloeg. De manier van toeslaan verschilde per slachtoffer. Een inbraak of een overval. Een ernstig verkeersongeluk. Sienie die gedwee gemaakt moest worden. Anne in Bergen-Belsen, die door haar vader en de jappen met een bamboestok bewerkt werd. En Cees die een klap kreeg toen hij genoodzaakt was geweld te gebruiken. Cees was nogal zachtaardig, vandaar.

Zo werd de verwondering ons ontnomen, verdreven door woede en onmacht, die zich manifesteerden in voortdurende onrust. Dan kun je naar medicijnen grijpen, naar drank, of aan de onrust toegeven. Door de plicht te doen, in mijn geval.

Steeds vaker moest ik denken aan mijn lotgenoten. Net als bij hen was mijn neiging geen voorbijgaand verschijnsel, maar iets blijvends. En het ging helaas nog altijd gepaard met onbestemde angst. Gelukkig had ik inmiddels zo veel sociale vaardigheid verworven dat mijn eenzelvigheid, veroorzaakt door die angst, door buitenstaanders niet hoefde te worden opgemerkt. Tenminste, dat dacht ik.

Eén keer heb ik het Sienie gevraagd. 'Hoe ga jij ermee om?' Ze klapte dicht. De professor was woest, maar het antwoord kwam. Zij het op geheel onverwachte wijze. Wat ik geleidelijk deed, door om de zoveel dagen een boom uit het park te slopen, kreeg zij in één keer voor elkaar. Ze verbouwde haar kamer. Van het ene op het andere moment lag de wasbak in de tuin en droop het water door het gipsen plafond.

Het voorval deed me inzien dat ik van het hout jatten geen gewetenszaak moest maken. Rust en misschien zelfs wat voldoening, dat zouden vanaf nu de leidende criteria zijn.

Zoals bij Ko. Hij had pas een rustige nacht als hij kans had gezien een schraal besmeerde boterham in een plastic zakje weg te moffelen. De professor sprak er met hem over in de zittingen. Hij probeerde hem er, vol begrip uiteraard, van te overtuigen dat het niet langer hoefde, dat die tijd voorbij was. Onder invloed van het hem toegediende stofje zou de man daarop een keer geantwoord hebben: 'Verzeihung, Blockalteste, wir bekommen am Morgen kein Brot, nur Kaffee.'

Toen Ko weer was teruggekeerd uit zijn kamptijd luisterde hij samen met de professor het bandje af, en schaamde zich kapot. De professor probeerde hem er nu van te overtuigen dat dat nergens voor nodig was. Hij moest juist trots zijn op die overlevingskans die hij had weten te creëren.

Datzelfde zei hij tegen mij toen de es bij de kliniek in de wetering donderde, en ik een longontsteking riskeerde om hem aan brokken te zagen en naar de schuur te brengen.

Zoals mijn lotgenoot zich makkelijk een pak koek kon veroorloven om desnoods op zijn kamer te verstoppen, zo zou ik zonder enige problemen de hele winter lang hout kunnen kopen. Maar voor geen van ons beiden was dat een oplossing. Alleen als ik het hout *pik*, kan ik tevreden zijn, zoals Ko zijn boterham *achterover moest drukken* voor een veilig, voldaan gevoel. Het was de plicht, die had ons in zijn ban.

Volgens de professor moesten we er ook over leren praten. Het leek hem goed als mensen als Sienie, Anne, Ko en ik een soort buddy hadden. Iemand om ons hart bij te luchten zonder erop te hoeven letten of je niet tien keer hetzelfde vertelt.

Ik heb er een gehad, nee, twee. Binnen de kortste keren keek ik weer tegen een geheven vinger aan. Zonder woorden hoorde ik de boodschap: 'Gij zult uw ouders eren, en niet stelen.'

En daarna had ik dan weer tijd nodig, veel tijd, om alles in het gareel te krijgen. Bijvoorbeeld door te vloeken en te tieren, als een razende. Slechts soms gevolgd door de genade van een huilbui. Pas na acht weken uitstel kon ik na die tweede buddy weer op pad. Na de zoveelste nachtmerrie, zo een waarvan je genoeg bijblijft om er zeker van te zijn dat de maat weer vol is.

Dus ik leerde me erbij neer te leggen. Bij mij was nu eenmaal het eerste wat na de winter moest gebeuren het op peil brengen van de houtvoorraad.

Ik was weinig scrupuleus in mijn ondernemingen, maar als de beheerder van een stuk grond mij vertrouwde, bleef ik van zijn hout af. Zo kreeg ik langzaam een klein beetje genoegdoening van het jatten, alsof ik het op last van zogenaamde christenen op de juiste manier deed, moest doen. Christenen die niet moe werden mij op mijn 'plicht' te wijzen. Of dat nou de plicht was om hout te jatten, of de plicht om mijn ouders te eren.

Mijn ouders zijn gestorven. Het hout blijft groeien en sterft dan af. Het sterft af om mij surrogaatwarmte te geven. Vervangende veiligheid.

Zo verstreken de jaren. En langzaam vormde zich een beeld van hoe mijn toekomst eruit zou zien.

ZEVENTIEN

Een project eist planning

Op een milde septemberdag zag ik de stam voor het eerst liggen. Een mooie rechte stam van beukenhout. Zeker vijf meter lang en minstens veertig centimeter dik.

Toen ik dichterbij kwam, zag ik dat er wat dieper in het bos nog meer lagen. Nog langer, maar ook knoestiger. Het zou alles bij elkaar zeker een maand stoken opleveren.

Beukenhout is verleidelijk. Het brandt rustig en ligt lang.

Maar dan moest die stam wel vervoerbaar zijn.

De stam, dat overijverige, uitgewerkte hout, liet me niet meer met rust. Mijn oude schoolvriend Frans kan hele verhandelingen geven over de schoonheid ervan, maar aan logistiek kwam er nog het een en ander bij kijken. Voor Frans wellicht reden om af te haken, op mij is de werking tegenovergesteld. Ik raakte extra geprikkeld om door te gaan.

Tijdens mijn andere werk, mijn romans, dacht ik steeds aan die mooie stam in het bos. Zeker zeshonderd kilo hout lag daar zomaar weg te rotten, leerde wat rekenwerk mij. Tenminste, als ik niet ingreep.

Een dikke elzenstam laat me koud. Van elzenhout weet ik alles af, en ik heb het door en door benut. Maar dit was een ander verhaal. Dit was eeuwig zonde. Alleen, hoe kreeg ik de stam vervoerd? Het zou me nooit in één nacht lukken. Ik zou hem allereerst in moten moeten zagen, vervoerbare moten. En dan, gezien de locatie, op de fiets vervoeren dan wel lopend dragen, over een fikse afstand, naar een plek waar ik met de auto kon komen. Dat moest of de parkeerplaats zijn, of vlak naast de brug. Die laatste plek had als groot nadeel dat elke passant de auto kon zien staan. En mocht er blauw voorbijrijden, dan was de kans aanzienlijk dat hun nieuwsgierigheid zou worden gewekt, dat ze zelfs een opwelling van plichtsbetrachting zouden krijgen. Vanaf het parkeerterrein zou misschien alleen een auto het zandpad op rijden. De inzittenden zouden evengoed nieuwsgierig kunnen worden. Maar die kans was niet zo groot. Het grootste nadeel van die plek was dat er werd gevreeën bij het leven.

Er was nog een derde mogelijkheid, maar die vereiste een flinke dosis brutaliteit. Ik kon, als de spoorboom open was, gewoon naar de p.d. rijden, de vracht inladen en er weer vandoor gaan. Deze mogelijkheid bracht twee bezwaren met zich mee: ten eerste was het niet best voor de schokbrekers, ten tweede zou ik de afstand met lichten aan moeten afleggen, wat de kans om gepakt te worden weer aanzienlijk vergrootte.

De drie mogelijkheden bleven rondmalen in mijn hoofd, zonder dat ik tot een besluit kwam. Het risico was groot. De boswachterij kon binnen enkele momenten gewaarschuwd zijn, zeker nu, in het seizoen dat stropers op hun actiefst waren om voor de kerst klaar te zijn. Precies zoals ik dus, stak het duiveltje zijn angeltje nog even in een haast ongevoelige plaats.

Het werd oktober. Het weer werd er niet beter op, maar de avonden en nachten werden langer. Het donker, geliefd element van een kind van de duisternis, begon weer te overheersen. De behoefte om te stelen groeide in mij. Stelen als een echte dief. Daar moest ik niet langer moeilijk over doen.

November en Pluvius zijn twee handen op één buik: kil en nat. Het was eigenlijk geen doen, in de regen en wind sjouwen en zagen, door weer en wind de brokken hout verslepen naar de plek waar de auto het over zou nemen. En dan ook nog alle artikelen in de krant, over stropers die betrapt waren op... vul maar in.

Toch had het geen zin me er druk om te maken. Ik had simpelweg geen keuze.

Zo komt het dat ik op een zaterdagavond terugfiets naar huis, met onder mijn arm de zaag, verpakt in een jutezak, samen met het maathout. De grote lantaarn zit in de zak van mijn jas. Het vervoer? Dat bekijk ik ter plekke wel.

De voortekenen zijn ongunstig. Ik ben nauwelijks op weg of ik word gepasseerd door een politiewagen. Gelukkig gaan ze de goede kant op, anders zou ik gaan vermoeden dat ze me aan het opwachten waren. Auto's met groot licht, ongedimd, rijden me tegemoet en verblinden me. Rotzakken. Normaal zou ik ze met de Mag-Lite in hun snufferds schijnen. Maar vanavond houd ik me koest.

Onderweg weeg ik de voors en tegens een laatste keer tegen elkaar af. Maar nieuwe mogelijkheden blijven uit. Conclusie: ik zal het wel zien.

Het eerste stuk kan ik langs de beek. De poort die volgt is een obstakel; met een blok achter op de fiets kan ik er niet doorheen, tenzij ik alle blokken langs de beekoever afvoer en ze vandaar tot aan de poort draag. Dat betekent zeker een uur sjouwen tot aan de poort, met bovendien de fiets aan de hand. En toch, sjouwen is minder belastend dan tillen.

Maar dat is voor later. Nu eerst zagen.

Ik ben op de p.d. Ofschoon alles nat is, is het weer nu helder. Ik zie zelfs sterren aan de hemel schitteren. De bodem is goed doorlatend, dus niet al te zompig. Voordat ik aan het werk ga leg ik een opgevouwen jutezak neer, om mijn knieën tegen verkleuming te beschermen.

Daar ligt-ie. En er is geen beweging in te krijgen. Was thuis gebleven, flitst het door mijn hoofd.

Kop dicht en werken.

Met het maathout geef ik ongeveer het midden van de stam aan en daarna graaf ik de dikke bladerlaag eromheen een beetje weg, op de tast. Mijn ogen zijn inmiddels enigszins gewend aan het donker.

De stam ligt schuin, wat het zagen moeilijker maakt, en de kans om scheef te zagen vergroot. In het weinige licht dat ik heb zet ik de zaag zo haaks mogelijk op de stam. Ik begin, en probeer de tijd dat ik erover doe in te schatten. Thuis gebruik ik er vaak een stopwatch bij, hier probeer ik de seconden te tellen. Een horloge neem ik nooit mee, dat is een van de weinige dingen die ik nog aan Francis heb overgehouden. De tijd doet er niet toe, als alles voor schemer maar weer thuis is.

Ik ben te ongedurig om het tellen vol te houden.

Het zagen valt niet tegen. Een doffe krak, en de stam ligt al doormidden. Ik schat dat ik er ruim tien minuten over gedaan heb. Zo te zien moet ik nog zes keer. Dat betekent een dik uur, mits het tempo niet zakt.

De helften kan ik nu vlak rollen, dat scheelt. Met veel moeite leg ik de ene helft kruislings over de andere. Een kleine, uitstekende knoest doet dienst als welkom steunpunt. Twee blokken vallen zonder al te veel te ritselen in het dikke bladerpak. Nu moet het overgebleven stuk nog opzij. Doordat het korter is ligt het minder vlak en is het wiebelig.

Steeds als ik een blok heb afgezaagd, leg ik het op het vlakke bospad, zodat ik niet straks in één keer al het tilwerk moet doen. Je leert snel in het illegale circuit. Of het criminele? Is dit een overtreding of een misdrijf? Ik weet het niet. Ik weet alleen dat er niks van klopt. Maar dat is een gepasseerd stadium. Nu gewoon maar zagen. Weer een blok, even rusten. Een druppel zweet kruipt over mijn rug naar beneden. De eerste van vele.

Net als ik mijn werk weer wil hervatten, schijnt er fel licht langs de beek. Ik schrik me rot. Is het een schijnwerper? Je bent erbij, jochie, gloeiend de klos, op heterdaad betrapt.

Vliegensvlug overdenk ik de situatie. Mijn gedachten gaan vanzelf over in handelingen. De zaag onder de bladeren. Het fietsje ligt dichtbij. Ik kan doen alsof er niets aan de hand is, en, met een kleine omweg, over het bospad verdwijnen. De blokken met een duwtje weer de ondiepe sloot in rollen. Met bladeren de scherpe vorm en lichte plekken van de zaagsneden maskeren. Hup, op de fiets, en wegwezen. Het parkeerterrein over, de weg op. Nu kan niemand me nog iets maken. Nou ja, zonder licht rijden, dat is alles. De dynamo slipt een beetje. Maar schaars licht bespaart me weer geld.

Net voor de brug staat een auto, onverlicht. Die weg kan ik dus niet meer gebruiken.

Hoewel, is er nog wel gevaar voor mij? Ik steek de weg over, ga eerst langs de auto, om vervolgens over het pad naar het p.d. terug te keren, waarbij ik een onbeschroomde blik in de auto werp. Is hij leeg, dan zijn de inzittenden mogelijk op verkenning uit, of, erger, dan zijn het controleurs van Staatsbosbeheer, op zoek naar stropers.

Maar de houding van de mensen in de auto heeft niets met stroperij te maken. Daar heb ik niets van te vrezen, dat is duidelijk. Alleen, met het hout kan ik er niet langs.

Verdomme, een kwartier vertraging door een vrijpartij, als het niet meer is. De voorzijde van de auto is voorzien van vier verstralers.

Ik graai de zaag weer onder de bladeren vandaan en werk verder. Ik word al trager. De afgezaagde stukken liggen nu in de ondiepe sloot, en ik zie er nu al tegenop die straks samen met de andere stukken weer naar boven te moeten rollen. Ik denk aan de mensen in de auto en krijg een wrang gevoel. Vanwege die andere reden dat ik naar Bastiaans ging, tevergeefs.

Vooruit niet zeuren, zagen. Er is nog genoeg werk te doen. Het schiet aardig op: nog maar twee stukken.

Als ik eindelijk klaar ben met zagen, overweeg ik mijn volgende stap. De blokken de helling op zeulen? Nee, toch maar niet. Ik zal elke keer dat ik hier kom een naar boven halen. Ze liggen hier redelijk uit zicht.

Hoewel, je kunt nooit weten. Ik kan nu over het enige beschikbare pad gaan, met de auto langs de slagboom, daar bij de beek parkeren…

Nee, niet doen.

Met een zucht denk ik aan het aantal keren dat ik een blok naar het parkeerterrein zal moeten brengen. Met steeds de kans iemand tegen het lijf te lopen. Ik schat dat ik nu, inclusief zaagwerk en uitstapje, zo'n tweeënhalf uur kwijt ben. Het eerste blok schatte ik het minst zwaar in. Met wat moeite slaag ik erin het achter op de fiets te krijgen. Ik begin met lopen. Misschien zijn er later stukken die per fiets vervoerd kunnen worden. Met een beetje snelheid is het makkelijker om je evenwicht te bewaren dan wanneer je in normaal tempo loopt; een simpele wet uit de mechanica. Maar fietsen heeft weer als nadeel dat het donker is en ik dus weinig zicht heb op de bodem.

Ik probeer een stukje en merk dat het tussen de bomenrij langs het pad iets lichter is, vanwege de nog steeds met sterren bezaaide nachthemel. Niet veel later is het eerste schaap over de dam. Met een plof valt het op de grond.

Er razen nachtbrakers voorbij, maar die kunnen me niet zien. De bomen staan te dicht op elkaar en de afstand is te groot.

Ik duw het blok met mijn voet de brandnetels in. Volgende keer moet ik eraan denken Gamma-handschoenen mee te nemen. Nu terug naar de p.d.

Ik probeer rustig te tellen, om een redelijke tijdinschatting te krijgen. Zonder blok doe ik er bijna zes minuten over.

Met blok, fietsend, schat ik het tijdsverloop op ongeveer tien minuten. Na wat gewenning doe ik er misschien een kwartier over om heen en terug te gaan. In totaal betekent dat dus drieënhalf uur werk.

Op de weg terug naar de plaats waar de andere blokken op hun vervoer wachten, slip ik soms over gevallen bladeren en de rulle bodem. Maar het tweede tochtje verloopt soepeler. Ik moet de paaltjes van de markering in de gaten houden, heb ik nu door. Dat werkt beter dan de lichtbaan tussen de bomen. Als er een auto het pad op komt draaien, moet ik als de bliksem fiets en mijzelf de sloot in werpen, veilig buiten het zicht van de koplampen. Hoewel niemand hier een ontmoeting verwacht met iemand die een stuk hout op de bagagedrager vervoert, moet ik alert blijven op een eventuele spelbreker.

Boven mij gromt een vliegtuig. Een uitzondering rond deze tijd, maar ik weet dat ik me onder de luchtcorridor tussen Zürich en Frankfurt bevind; een van beide moet de bestemming zijn.

Gelukkig gaat er geen vogel met lawaai op de wieken, want dat is pas echt link. Dat wekt ieders belangstelling.

Nauwelijks is die gedachte verdwenen of een of twee kraaiachtigen poetsen met veel misbaar de plaat. Zo'n vogel kan aardig wat roet in het eten gooien. Maar het blijft stil.

De blokken liggen uitgeteld in de brandnetels. Op het fietspad doe ik mijn licht weer aan. De auto bij de beek is weg. Het lijkt me lastig vrijen. Nog maar zo heel af en toe word ik verblind door een late uitgaander.

Bij de kerk in Gaanderen is iets aan de hand. Er liggen twee fietsen op straat, wat jongelui staan opgewonden, met geheven armen, iets te regelen. Als het maar bij die geheven handen blijft... Maar zo te horen doet het dat niet. Als ze straks niet weg zijn, heb ik een probleem. Straks rijd ik hier met de auto, en mijn rijbaan is die waarop de fietsen liggen, dus dan zal ik een omweg moeten nemen.

Thuis staat de auto op me te wachten en op mijn klokje zie ik dat ik voor vijf uur terug kan zijn. Een kleine drie kwartier. Als alles meezit...

Zonder problemen kom ik langs de fietsen. Bij het bos rijd ik het parkeerterrein op. Ik wacht met open raam. Weer moet, net nu, een of andere vogel, al dan niet dezelfde, er met veel herrie vandoor gaan. Mijn hart klopt in mijn keel. Maar het blijft stil, op de wind na, die subtiel is op komen zetten.

Na een tijdje luisteren hoor ik ook andere bosgeluiden. Vredige geluiden, anders dan een opgeschrikte ekster, of wat het was. De wind zet aan, de takken kraken. De bladeren ritselen. De sterren zijn verdwenen. Ik steek mijn hand naar buiten en vang een druppel. Gunstig tegen sporen.

Ik open de achterklep en gooi een oud gordijn op de grond. Ik graai naar de plek waar de Gamma-handschoenen moeten liggen, om me tegen de brandnetels te beschermen. Nu de sterren weg zijn is de nacht op zijn donkerst. Het enige wat ik zie zijn de natriumlampen, in de verte, langs de weg.

De blokken laten zich niet gemakkelijk vervoeren. Twee naast mij op de vloer, een op de stoel. Weer netjes in de gordel en extra goed vastgebonden met een stuk touw. Als ik nu iemand tegenkom, ben ik erbij. Snel doorwerken dus. Ik heb haast. Duwend en rollend krijg ik de overige blokken op een na achterin, min of meer netjes in het gelid. Suzuki maakt prima auto's. Dat laatste blok moet maar achterblijven, niets aan te doen. Ik geef er een trap tegen en het verdwijnt tussen de brandnetels. Werk voor niks.

Gehaast plooi ik het gordijn over de contrabande. Ik duw de klep in het slot en heb zelfs het lef om met mijn zaklantaarn de grond af te speuren naar sporen. Ik schuifel wat heen en weer, vooral voor de vorm, stap dan in, wek de motor tot leven en doe de lichten aan. En krijg de schrik van mijn leven. Er komt een auto aan. Die zal toch niet op het laatste moment nog het pad op draaien?

Hij raast voorbij.

Ik draai de weg op, en voel hoe zwaarbeladen de auto is. Als nou die jongeren in Gaanderen maar weg zijn... Dan zal het wel goed komen...

Maar ze zijn niet weg. Voorlopig niet, zo lijkt het. Want er staat een politieauto bij. Natuurlijk, de herrie. Een van de omwonenden heeft de politie ingeschakeld, die mogen het nu verder regelen. Als ze voor mij maar niets regelen...

Ik gooi het gordijn over de blokken, over de twee stukken naast me hangt mijn jas. Met bonzend hart passeer ik. Niemand slaat acht op de langsrijdende crimineel. De klok wijst inmiddels bijna kwart voor vijf aan. Twee minuten later ben ik bij de stoplichten.

Die springen meteen op groen; ik kan doorrijden. Vanaf hier is het een peulenschil. Thuis pak ik de auto geluidloos uit. De brokken leg ik achter de woning. Bijna driehonderdzestig kilogram, weeg ik later. Ja, Suzuki maakt goede auto's.

Ik neem een warme douche en een beker koffie, en voel me voldaan. In de nacht van zondag op maandag zaag ik het laatste stuk aan moten. Het is dunner, dus makkelijker te komen, maar er zitten meer knoesten aan. Het blok dat tussen de brandnetels ligt, neem ik alsnog mee.

Bij elkaar vijfhonderd kilogram. Een mooie buit. Maandag mag ik rusten.

ACHTTIEN

Nummer 124 antwoordt niet

De onrust van het jaargetijde heeft me in zijn ban. De herfst maakt niet de beste instincten in me los. Een goede remedie is wandelen. Dus dat doe ik.

In de lange laan bij de Boven-Slinge liggen gevelde eiken. Tientallen, als het er niet meer zijn. Allemaal stammen van zo'n tien meter lang. Heel dikke, en heel slanke. Kromme, en stukken die geschikt zijn om allerlei prachtigs van te maken. En dat is ook precies wat ze ermee van plan zijn.

Elke boom is voorzien van een metalen plaatje met daarop de naam van het bedrijf waar hij naartoe gaat. Ook zijn ze genummerd. Als ik het hout zie vraag ik me enkel af hoelang ik ermee kan stoken. En, nog belangrijker, hoeveel rust het jatten van alleen al één zo'n mooi exemplaar me zal geven. Eén enkele stam. Dat is voorlopig voldoende, want volgens mijn voorzichtige schatting zal de dunste nog altijd zo'n vijfhonderd kilo wegen.

Omdat de gedachtespinsels in mijn hoofd blijven hangen, ga ik de stammen iets beter bekijken. Een week later spelen dezelfde gedachten tikkertje in mijn hoofd. Er zit niets anders op dan aan de drang toe te geven en een van die juweeltjes achterover te drukken.

Alleen, de bijkomstigheden zijn niet gering. Het gewicht,

de dikte, het zaagbereik. De afstand tot een plek waar mijn auto kan komen. Vooral dat laatste. Ruim driehonderd meter is het naar de meest nabijgelegen geschikte plek. Lopend. Een blok van zestig centimeter zal zo'n dertig kilo wegen. Negentig centimeter dus de helft meer. Maar dan hoef ik weer minder vaak te lopen en te zagen...

Ik puzzel en puzzel tot er nog maar één vraag is die me rest: wanneer?

Het wordt Sint-Nicolaas. Laat op de avond begeef ik me naar de bewuste plek. Ook ik zal een surprise maken, denk ik bitter.

De fiets verstop ik vlak bij de beek onder een grote den, waarvan de takken praktisch op de bosbodem liggen. Zelfs voor iemand die ernaast staat is de fiets onzichtbaar. Als ik er onverwacht vandoor zal moeten, ben ik hoogstens mijn zaag kwijt.

De maan is bijna vol. Hij schijnt door de bomen. Dat is behalve toepasselijk op deze avond ook makkelijker werken. Maar tegelijkertijd link. De schaduwen zijn donkerder, de lichte plekken steken feller af.

Toch zit ik even later achter een stam en zaag. De bosgeluiden om me heen zijn me al enigszins vertrouwd. Het bos bij nacht. Vredige geluiden. Zacht zucht de wind. Stammen en takken kraken, de bladerlaag ritselt. Een enkele auto passeert op een veilige afstand van zo'n driehonderd meter. Zodra het grommen van de techniek weer verstomt, werk ik verder. Als ik een opvliegende vogel hoor, houd ik me gedeisd.

Zo werk ik uren door, bijna zonder pauze. Met mijn conditie zit het blijkbaar goed, al helpen stress en adrenaline een handje mee. Zestien stukken. Vijftien keer zagen. Een zaagsnede kost tussen de vijftien en twintig minuten. Een knoest kost sowieso het maximum. Als ik alle blokken heb liggen, bekijk ik de buit. Dat wordt twee keer rijden. De maan is verschoven.

In totaal moet ik ongeveer tien kilometer lopen, de helft ervan zonder vracht. Dat zijn mijn rustmomenten. Het zal erom spannen. Als ik met de tweede vracht thuis ben, zal de decemberdag aanbreken. En zal ik kapot maar tevreden zijn.

Maar zover is het nog niet. Al bij het tweede blok gaat het bijna mis. Op het moment dat het op de grond ploft komt er een brommer aanjakkeren. Heeft de bestuurder me gezien? De bocht is zo dichtbij dat de kans niet gering is. Sinds kort is dit deel van het fietspad bovendien voorzien van lantaarns. Het pad is door struiken van de weg gescheiden, maar die struiken zijn nu allemaal zo goed als kaal.

Als de brommer weg is, blijkbaar niet gealarmeerd, gebruik ik mijn sleutel die op de lantaarns past en ontdoe de lamp die het dichtst bij de weg staat van zijn twee ampère, die met een boog in het bos verdwijnt. Nu is het stuk waar ik doorheen moet donker.

Even overweeg ik om de houtdraadbouten van de eenvoudige slagboom los te draaien en dan met de auto de laan in te rijden. Dat scheelt een hoop sjouwwerk. Maar zonder licht de laan in is geen goed idee. Eén kuiltje en ik kan met mijn lading op zijn minst de schokbrekers vaarwel zeggen. Nee, jochie, dat wordt sjouwen. De maan draait ondertussen verder.

Als het zware werk er bijna op zit, ik ben inmiddels bezig aan mijn een na laatste stuk, haal ik mijn vinger open. Het bloedt. Soms, weet ik uit ervaring, zit er in een stuk brandhout nog een munitiescherf, nog uit de oorlog. Maar hier was de boosdoener het metalen plaatje, met nummer en een naam, dat zo'n zes centimeter diep in het hout is aangebracht.

Het laatste blok ploft in de struik. De dappere Suzuki staat klaar. Ik ben goed voorbereid, de achterbank is eruit. De stoel naast de mijne ook. De acht blokken passen er allemaal in. De laatste twee gaan naast me, in de gordel. Ik zou weg willen racen, maar dat is onmogelijk. Twee keer moet ik rijden. De tweede keer gaat iets gemakkelijker, vanwege gewenning en wegebbende stress.

Even sta ik stil bij wat ik aan het doen ben. De hele nacht werk ik me kapot om ergens aan toe te geven. Waaraan? Waarvoor?

Ik neem een douche en kruip in bed.

De volgende dag is er weer veel werk te doen. De stukken op kachellengte maken. Opstapelen achter de garage, keurig uit zicht. Het plaatje met een schroevendraaier verwijderen. Ik leg het op de werkbank. De rest van de dag, tot laat in de avond, werk ik geïnspireerd aan mijn tweede krimi.

Maar de welverdiende slaap wil niet komen. Na even draaien en woelen weet ik dat het niks meer wordt en rommel wat in het medicijnkastje. Daar vind ik nog een Dalmadorm. Haast ongemerkt doet de chemie zijn werk.

***

Mijn verzameling gejat hout ligt achter de garage. Het enige wat ik nog moet doen is de rommel daar opruimen. De werkbank ligt nog bezaaid met stukken gereedschap. Die gaan de kist in. Een paar stukken metaalplaat berg ik onder de toonbank, en dan kom ik het stukje metaalplaat tegen. Het is van aluminium, de cijfers zijn ingeperst en voorzien van rode verf.

Op het eerste gezicht lijkt het een standaard label, maar er is iets vreemds aan. Het plaatje voelt heel dik en aan een van de zijkanten steekt er een stripje uit. Dat was me niet eerder opgevallen. Het stripje steekt onder het plaatje uit en verdwijnt dan in een soort afdeklaag. Wat heeft dat te betekenen? Ik weet zeker dat er iets achter zit.

Bij nadere bestudering zie ik dat de laag enigszins doorschijnend is en zie ik vormen die duiden op micro-elektronica. Zo klein heb ik ze op de hts nog niet gezien, maar ik herken onmiddellijk wat het is. Dan ontdek ik bovendien een antenne. Is het een antenne? Ja, het moet een antenne zijn.

Ik drink een kop koffie en denk erover na. Elke boom was van zo'n plaatje voorzien. Allemaal identiek, maar met een eigen nummer. Pas dan komt mijn Aha-erlebnis. Een mini- of microzender. Het lijkt erop dat de bomen op deze manier net als sommige wildsoorten in de gaten worden gehouden. Om dieven, zoals mij, geen kans te geven. Het bereik van het signaal zal niet al te groot zijn, maar dat het plaatje dat nu in mijn garage op de werkbank ligt aan het uitzenden is, is toch niet erg geruststellend. Ik krijg prompt een visioen van mezelf in het rasphuis.

***

In het kantoor van Staatsbosbeheer maakt een van de houtvesters zich op voor zijn ronde. Hij is bij de tijd, voorzien van de moderne middelen die de mens tot dienst zijn. Hoewel die mij in dit geval allerminst tot dienst zijn. Maar daar ben ik op dat moment nog niet van op de hoogte.

Op zijn computer gaat de man de stammen af. Te beginnen bij nummer 1. De reeksen nummers verschijnen netjes op het scherm. Als de stam er is, tenminste. Als er een ontbreekt, zijn de nummers rood. De tekstkleur van de aanwezige stammen is normaal. Ook daarvan ben ik niet op de hoogte. Als het op moderne media aankomt ben ik een wandelend anachronisme. Wat me tot nog toe altijd prima beviel.

De stam waaraan ik mijn duim openhaalde, verschijnt nu in het rood. Het bijbehorende nummer schittert in zijn afwezigheid.

'Hé, er is een stam weg!' roept de man meteen, niet zonder vreugde dat hij eindelijk eens iets op het spoor lijkt te zijn. 'Nummer 124. Hoe kan dat nou? Vorige week lag hij er nog. 123 en 125 zijn er gewoon, maar 124 is even pissen.'

'Misschien wel, ja,' antwoordt zijn collega. 'Weet jij of een boom wel eens pissen moet?'

De zoekende houtvester reageert niet op de onzin. Het is de enige stam die verdwenen is, weet hij inmiddels. Hij stampt naar buiten en even later lawaait zijn groene hondenhok naar de laan waar 124 zou moeten liggen. Hij vindt er alleen zaagsel, fijn zaagsel. Niet van een kettingzaag. Theoretisch had dat gekund; het volk is tegenwoordig hondsbrutaal.

Maar hoe dit praktisch voor elkaar is gekregen? Het was niet bepaald een stammetje om zo even onder de arm te nemen. Nauwkeurig bekijkt de man de plek waar de stam eerst lag. Het was geen dun exemplaar, dus is goed te zien waar de zaagsneden zijn gemaakt. De man pakt zijn gammarolmaatje en meet de afstand. Ongeveer zestig centimeter.

Nu wordt hij pas echt fanatiek. Hij moet en zal weten hoe dit heeft kunnen plaatsvinden. Hij kruipt op zijn knieën over de bosbodem waar de stam gelegen heeft. Er zijn heel duidelijk vijftien strookjes zaagsel te onderscheiden. Dat klopt wel, denkt hij. De bomen waren allemaal op zo'n tien meter afgezaagd. De rest was brandhout, en al afgevoerd. Daar weet zijn collega meer van. Hij tuft terug naar het kantoor en pakt een gevoelige richtingzoeker uit de kast.

'Wat ga je doen?' vraagt zijn maat.

'Even iets uitproberen.'

'Uitslover,' zegt de ander. Maar dat hoort zijn maat al niet meer. Deze heeft maar één gedachte. Al is het plaatje eraf gesloopt en weggegooid, dan nog moet het terug te vinden zijn.

Hij heeft gelijk. Het apparaat ontvangt een heel zwak signaal. Hij draait de richtingzoeker in de rondte; het signaal wordt iets sterker. Dus vertrekt hij weer met zijn hondenhok. Het signaal dat de plichtsgetrouwe houtvester ontvangt wordt sterker en sterker. En hij begint er steeds meer plezier in te krijgen. Hij zal deze snoodaard eens even in de kraag vatten. Het is niet de eerste keer dat er hout verdwijnt – op onverklaarbare wijze. Meestal is dat hout van weinig waarde, bomen die in het kader van nieuw landschapsbeheer in het bos worden achtergelaten om te vergaan.

Maar dit is een ander verhaal. Een stam van minimaal een dikke kuub hoogwaardig eiken. Zeker voor honderden guldens aan de staatsruif ontfutseld.

Het signaal wordt nog duidelijker. Zijn hondenhok doet Gaanderen aan, maakt het onveilig – hij is zo bezeten dat hij bijna een ongeluk maakt, zoals later is na te lezen in *Olde Wief*.

Terwijl ik mijn maaltijd klaarmaak denk ik aan de stam met het plaatje en aan de onaangename verrassing die daarin verstopt zat. En ineens raak ik in paniek. Herkenbare paniek. Meestal onterecht, maar je weet het niet. Met gehaaste bewegingen draai ik de kookplaten op nul en ga naar de garage. Wegwerken, maar eerst onklaar maken. Het stripje sneuvelt onder mijn blikschaar. Het stanleymes geeft de inhoud vrij. Precies wat ik dacht, een kleine batterij.

Op het moment dat het hondenhok bij de school de Borgsche Rieten op draait, valt het signaal weg. Het stripje is gesneuveld, de batterij uit zijn kleine nestje gewipt. Met een zucht en een vloek rijdt de fanatieke houtvester richting mijn huis. Toeval of niet, hij besluit te keren, en doet dat via mijn woonhof. Het lawaai doet me het raam uit kijken, en daar zie ik het voertuig verdwijnen.

***

Badend in het zweet word ik wakker. Het duurt even voordat ik me echt realiseer dat het een droom was.

Van hout krijg je een houten kop. Bah. Voor mij voorlopig even niet meer, neem ik me voor.

Het is nog donker en ik ga naar buiten. Nummer 124 ligt in alle rust achter de garage.

Een paar uur later fiets ik naar de laan langs de Boven-Slinge. Ik wil weten of de plaatjes echt een zendertje bevatten. Want het plaatje van mijn boom, nummer 124, heb ik meteen al in de Bielheimerbeek doen verdwijnen.

Maar de bomen, inclusief plaatjes, zijn verdwenen. Behalve die ene, die ligt achter mijn huis. Zijn legitimatie op de bodem van de beek.

NEGENTIEN

Het bermud(d)amannetje

Of het nou de deugdzaamheid was die me onverwacht in een onverbiddelijke greep kreeg, dan wel de sermoenen uit mijn jeugd die alsnog opspeelden, in de periode die volgde veranderde er iets. Ik had zo langzamerhand geleerd mezelf niets wijs te maken, en wist dus eigenlijk dat het met die deugdzaamheid wel meeviel. En dat hoefde van mij ook helemaal niet. Nee, er waren gewoon andere, meer aardse zaken die mijn aandacht en inspanning opeisten, zaken van stoffelijke aard. Een huisverbouwing, en toen ik daarmee klaar was maakte ik een paar reizen en kwam terecht in landen en streken met zo veel omgevallen bomen dat de tranen me regelmatig in de ogen sprongen. Dat lag daar maar te rotten.

Maar er speelde meer mee. In de gemeente waar ik woonde kon ik hout kopen via de boswachter. Kopen, ja. Het voelde als vloeken in de kerk. Het kostte slechts een schijntje; er was niemand die het wilde hebben. Eiken waren het, dikke zware eiken, die ten prooi waren gevallen aan de bliksem... Bliksem verwoest bomen, maakt er in één klap brandhout van; alleen nog goed om in de kachel te gooien. Er was een joekel bij met een doorsnede van tachtig centimeter. Vergeleken daarbij voelde mijn escapade met nummer 124 als een schoolreisje – zij het op een wat ongebruikelijk tijdstip.

De stammen lagen aan de andere kant van de aardig grote gemeente, bestaande uit een stadje en een stuk of zes dorpen. Drie ervan lagen langs de noordelijke Oosterbroekweg. Op een zondag ging ik er aan het werk, Pinksteren nog wel. Het was mooi, warm weer en ik was niet alleen; ik had gezelschap van twee muggen op liefdespad. Gelukkig had ik nog wat Deet 100 over van de slaventocht die ik kortgeleden bij Juneau had gemaakt, dus bleef het bij een hinderlijk gezoem.

Het lukte me om uit de stammen een mooi stuk te zagen, dat ik van plan was aan Frans te geven. Het was helemaal gaaf, geen scheuren en geen knoesten, te mooi dus voor de kachel, oordeelde ik. En er was hout genoeg. Maar... er was ook een maar. Mijn plicht. Hoe hard ik ook aan het zagen, kloven en hakken was, aan mijn plicht voldeed ik niet. Het zweet droop van mijn lijf, braaf ambtenarenzweet. Muggen geilen daarop.

Zo nu en dan veegde ik me droog met een badhanddoek, en om mijn vochtgehalte op peil te houden dronk ik koffie uit een thermosfles. Lekker heet, met melk en suiker. En, omdat het Pinksteren was, ook met een kersenbonbon, die zo te zien net als ik onder de hitte leed. Maar niet voor lang.

Terwijl ik van mijn koffie dronk kwam er een auto aangeracet. De chauffeur reed als een asociale hufter. Het kreng stopte met een naar knersend geluid, en ook nog eens veel te dicht bij mijn werkstek. Het portier zwaaide open, bleef open en er openbaarde zich een manspersoon in clochard-uitvoering. Zijn T-shirt, van een haast onbestemde kleur, zou mijn auto onmiddellijk op de barricaden doen klimmen als het vod zelfs maar in de buurt van zijn plaatwerk kwam. En zijn snufferd was al niet veel beter. Een snor, bah! Bovendien was hij in een bermud(d)a gestoken. (Die d tussen haken hoort er wel en niet. Een taalliefhebber herkent het woord *mud*; een inhoudsmaat, namelijk honderd liter. Een mudzak kan dus honderd liter bevatten.)

Het kruis van dit geval hing op de knieën en ik vroeg me liever niet af of dat al dan niet functioneel was. Ook van dit kledingstuk was de kleur onbestemd. Een kookwas zou wellicht enige helderheid kunnen verschaffen.

Het portier bleef openstaan en behalve wangeluiden produceerde de machine ook walm en stank, vanaf zijn positie daar midden op de weg. Zoals het ding erbij stond werd het (weliswaar weinige) verkeer ernstig in zijn doorstroom belemmerd. 'Wat zijn wij aan het doen?' klonk nu de vraag.

Alleen de toon al. Meteen stonden mijn nekharen overeind, overal in mij borrelde agressie op, en afschuw, die zich omzetten in verbaal geweld. Dat 'toontje' roept bij mij de oorlog op, onmenselijke gebeurtenissen zoals de keer dat politieagenten een Joods kindertehuis binnenvielen* en alle kinderen naar de kampen afvoerden, inclusief de verzorgende zuster en arts. Alleen droeg dat gajes geen bermudda's in onbestemde kleur, maar was het in vol ornaat gestoken. Het zwarte ornaat van de macht.

En hier stond weer zo'n specimen. Hij vroeg me: 'Wat zijn we aan het doen?' Niet alleen zijn bermudda en T-shirt waren aan een grondige reiniging toe. Ook zijn ogen konden blijkbaar een goede beurt gebruiken.

'Dat gaat je geen moer aan, man.'

'Ja, maar, ik ben van de politie.'

'O, ben jij van de politie? Dat kan iedere lul wel beweren. Als jij van de politie was, dan zou je die blikwinkel van je aan de kant parkeren en die verrekte stinkmotor afzetten, zodat een *fatsoenlijk burger* erlangs zou kunnen. Of moet ik even de weg voor je vrijmaken?'

---

* Sinai Centrum, bij Amersfoort [voor geestelijke gezondheidszorg en verstandelijk gehandicapten. Op 21 januari 1943 werden de patiënten van dit tehuis in goederenwagons afgevoerd naar Auschwitz-Birkenau. – LW].

Met mijn bijl liep ik op de roethoop af om mijn woorden kracht bij te zetten. Met een snoekduik zat bermudda achter het stuur en parkeerde zijn blik aan de kant. De motor liet hij evenwel ronken en stinken.

'Nou die godvergeten stofzuiger nog uit, man.' Weer maakte ik aanstalten destructief op te treden. Het geluid bereikte hetzelfde volume als dat van die verdomde Juneause muggen.

Nu kwam de figuur weer naar me toe. En opnieuw informeerde hij wat ik aan het doen was.

'Broer, heb jij soms poep in je doppen?'

Zijn gezicht kreeg een kleur die de tint van z'n T-shirt benaderde en hij bleef me het antwoord schuldig. Er volgden nog enkele pogingen van hem en treiterijen van mijn kant en hij bleef maar herhalen dat hij van de politie was.

Ik antwoordde hem keurig voor Onze-lieve-heer aan het werk te zijn teneinde mijn compeer Beëlzebub aan wat stookmateriaal te helpen voor zijn penitentiaire strafinrichting, oftewel een megazielmagnetron.

Weer viel een stilte, waarin ik de muggen ijverig hoorde zoemen. Tot mijn genoegen zag ik dat ze mijn gesprekspartner tot doelwit hadden gekozen. Ik bedeette mezelf lichtjes, demonstratief.

'O, deet,' zei hij.

'Maar niet voor jou, klojo. Sodemieter liever op.'

Opnieuw zei hij een politieambtenaar te zijn, district Achterhoek. 'Legitimatie,' beval ik. Mijn stem klonk wat nors. Het leek er namelijk op dat mijn verzetje hier ten einde liep. Een slechte verliezer ben ik altijd geweest.

Het figuur graaide in zijn zakken, liep naar zijn roesthoop, zocht, en kwam met lege handen terug. Geen legitimatie op zak. Mijn pretje mocht nog even duren.

Louche lieden, zei ik hoofdschuddend, die misschien een oude baas aan het werk beroven wilden, ik suggereerde zelfs voorzichtig dat hij misschien wel wat oneerbaars in de zin had, en vroeg me met geveinsde rechtschapenheid af wat er toch van de tijd geworden was, dat een clochard zich tegenwoordig zelfs voor agent durfde uit te geven. Ik noemde hem mudzak en zei dat hij moest moven.

Hij ging. Zijn legitimatie halen. Hij stoof weg en liet mij in een grote wolk kwalijke dampen achter. Zijn wraak, dacht ik. Die zie ik niet meer terug. En ik ging verder met mijn zondag-ontheiligende taak, weer overgeleverd aan het onschuldige gezelschap van de muggen.

Maar al zo'n klein halfuur later werd dat gore rotblik opnieuw in de berm geparkeerd, dit keer netjes. Bermuddaman stapte uit en wapperende met iets in zijn hand. Hij toonde me zijn legitimatie en verzocht me mijn naam en bezigheden op te geven. Hij had een gsm'etje meegebracht om te verifiëren of wat ik zei wel klopte. Ik zag de teleurstelling toen dat het geval bleek te zijn. 'Had dat dan meteen gezegd,' sloot hij af, waarop ik hem nog iets beledigends toewierp. Toen sjokte hij weg, met een slakkengang, en met de staart tussen de benen. Hoewel ook dat niet te verifiëren was met dat kruis op laag niveau.

'Ik zou die Tubbing hebben gepakt. Al had ik er de hele avond voor in de struiken moeten liggen, ik had die verrekte pief gegrepen.'

Had hij dat gedaan, dan had het hem beslist wat opgeleverd. Mijn trekhaak dekt voor een groot gedeelte mijn kentekenplaat af. Dat mag niet. Er staat anderhalve zalmsnip op.

'Als Wimpie Tubbing aan zou komen tuffen zou ik hem laten stoppen. Mijn legitimatie zou ik al in de hand hebben. Eerst zou ik zijn papieren vragen, waarbij ik moeite zou hebben mijn vuile grijns in te houden.'

Bingo, die lagen thuis. Vaak op een plek die ikzelf niet eens weet. Opnieuw kassa voor minister Zalm.

'Dan zou ik achteloos om de auto lopen en met een pokerface constateren dat de trekhaak niet volgens de verkeersreglementen gemonteerd zat. (Al moet ik eerlijk toegeven dat ik niet zeker weet of die pokerface me wel goed af zou gaan.) Ik zou natrekken of hij überhaupt wel een rijbewijs had, en ook zijn verzekering zou ik natrekken.'

Mijn gezicht zou boekdelen spreken want de hele papierwinkel lag thuis. Maar nee, bermuddamans liet de schone kans aan zich voorbijgaan. En wel in mijn voordeel. Mijn dag kon niet meer stuk.

En dat terwijl hij zijn eigen dag, een zondag nog wel, naar de filistijnen had geholpen. Via via hoorde ik later dat het politiebermuddamannetje ook wel eens in mijn woonplaats dienstdeed, in het politiebureau. En dat hij woest was. Dat had nog nooit iemand hem geflikt; vragen naar legitimatie. Ongehoord. De stakker had zich bovendien hardop afgevraagd of hij misschien zo weinig gezag uitstraalde, waarop mijn informant wijselijk zijn mond had gehouden. Hij zei me dat ik weinig goodwill had gekweekt. Maar dat deerde me niet. Alles heeft zijn prijs.

Wel heb ik meteen mijn fietslicht nagekeken. En ja hoor, toen ik hem een halfjaar later tegenkwam, kennelijk nog steeds woest, dat rancuneuze bermuddamannetje, en de vraag kwam of mijn fietslicht wel tiptop in orde was, kon ik bevestigend antwoord geven.

Hij kan beter bij de stoplichten gaan staan, die drukknoppen vind ik smerig dus het rode licht negeer ik regelmatig. Maar daarvan heeft hij nog geen weet.

TWINTIG

Kapers op de kust?

Pas maanden later zag ik eindelijk weer kans om naar het bos te gaan. Dat zo beladen bos, dat zo veel voor me betekent, waar ik mijn emoties kwijt kan en rust vind. Vooral als het wild tevoorschijn komt. De hazen maken zich met hun kromme sprongen snel uit de voeten, maar de konijnen blijven zolang ik afstand houd spelen.

Mijn wandelingen werden steeds langer. Op een dag besluit ik zelfs de Haankheide erbij te nemen. De auto zet ik op het parkeerterrein vlak bij de Bielheimerbeek.

Nauwelijks sta ik buiten of mijn oog valt op stukken hout. Beukenhout, welteverstaan. Bestemd voor de open haard. De stukken zijn krom en kort, en ze bevatten knoesten. Aan de zaagkant is te zien dat ze ingerot zijn, of door een ziekte aangevreten. Ze zijn niet langer dan een meter per stuk.

Ja, het is zonder meer brandhout. En dat maakt duistere instincten in mij wakker. Tenminste, als de behoefte aan warmte een duister instinct te noemen is.

Kom op, jongen, wandelen, daarvoor kwam je hier. Bij de zakkende winterzon stap ik stevig voort. Het lijkt of alles aan het rusten is, om straks uitbundig de zomer te kunnen vieren. Maar bij een rustig beschouwen zijn er allerlei activiteiten waar te nemen.

De paden en wat ik tot pad uitroep zijn niet overal begaanbaar. Ze liggen vol drab, en de bramenstruiken geven geen krimp. Maar het maakt mij niet uit waar ik loop, zolang ik maar loop, en al pratend tegen mezelf de afgelopen maanden kan overdenken.

Ik passeer de gymzaal van het schooltje in IJzevoorde, dat vaak verlicht is zodat ik beelden voor me zie van zwoegende mensen, die aan het trainen zijn of een of andere gezamenlijke bezigheid uitvoeren; iets wat mij slecht afgaat in ieder geval. Behalve op reis, dan verandert alles, dan is het net of er een ander op reis is. Het gevoel dat ik ook daarbuiten sta druk ik snel weg.

Vandaag is het schooltje donker.

Ik steek door naar de IJzevoordseweg, die ik moet oversteken om via een stenen pad en een gammel bruggetje in het Noorderbos te komen. Hier zitten 's nachts hermelijnen. Rustig en heel nieuwsgierig blijven ze doorgaans rechtop zitten in het licht van mijn lamp. Maar die lamp heb ik nu niet bij me, en met moeite zoek en vind ik mijn weg door het donkere gedeelte. Vervolgens ga ik langs de kasteelgracht en over het parkeerterrein naar het kleine kerkhof. De rest is een makkie. Steeds rechtdoor, rechttoe rechtaan, tot ik weer bij de parkeerplaats ben.

De bomen staan hier iets verder uit elkaar en het is een beetje lichter. De plaats van bekoring. En die waar het eerder ontdekte brandhout ligt. Het is zo goed als donker maar ik heb de stukken zo gevonden. Het lijkt wel of ze duidelijk afsteken tegen het gebruinde bladerdek. Het enige licht is afkomstig van de ouderwetse lantaarn in de verte, die bij de boerderij staat aan de overkant van de weg.

Voor ik er erg in heb loop ik te sjouwen. Het lijkt wel een automatisme. Hout, brandhout, niemand in de buurt – niet zichtbaar althans – en daar loop ik dan.

Vier stukken van ongeveer één meter twintig ploffen

naast de auto op de grond. Ik open de achterklep. Nu moet ik snel te werk gaan, er kan iemand het brede pad op komen rijden dan wel ineens uit het bos opduiken. Ik klap de achterbank naar voren en gebruik al mijn kracht om de stukken naar binnen te schuiven. De hoedenplank en mijn jas maskeren de buit.

Hoewel, het is mijn buit nog niet. Ik ben nog niet weg. Snel sla ik de klep weer dicht. De ramen zijn beslagen, ze moeten een beurt. Ik start de motor, de aanjager snort. Op de grote weg kalmeer ik. Hier kan me niks meer gebeuren, tenzij ik brokken maak. Eenmaal thuis ben ik inmiddels zo relaxed dat ik het hout in de auto achterlaat.

Maar later heb ik daar spijt van. Als Frans de volgende dag een mankement aan mijn rechterdeur bekijkt, ziet hij namelijk de blokken liggen, en ontdekt er een mooi, gaaf stukje tussen. Bij uitstek geschikt voor de draaibank. Dat ben ik kwijt.

Frans heeft net als ik iets met hout, maar op een minder kwaadaardige manier. Ik kan hem zijn hebberigheid dus moeilijk kwalijk nemen, maar heb wel stiekem de hoop dat Petrus er een aantekening van maakt. Het is niet voor het eerst dat hij mijn hout inpikt, en ik plaag hem er graag mee.

De week erop maak ik weer een wandeling. Ik kies een andere route in hetzelfde bos en verval dus opnieuw in mijn lijfzonde. Weer gaat het haast automatisch. Dit keer zaag ik, wijzer geworden, thuis meteen brokken van mijn nieuwe buit en die leg ik in de schuur, waar tijdens deze wintermaanden plek in overvloed is.

Het is alweer de tijd van de zogenaamde gezelligheidsfeesten. Met Sinterklaas heb ik een afspraak, maar de kerstdagen grijnzen me als een onherbergzame woestijn tegemoet.

De kortste dag van het jaar is zonnig, zonder wind en wolken. De zuidkant van de dikke bomen voelt haast warm aan. Er zitten mensen op een bankje een appel te eten, met de jas open. Iets verderop, in de schaduw, zijn de blaadjes van de rododendron licht bevroren.

Als ik weer terugkeer bij het parkeerterrein zie ik iets wat me minder bevalt. Er is iets veranderd. De brokken hout zijn slordig bij elkaar gelegd, stukken van verschillende lengte en dikte liggen door elkaar, op nog geen twee meter afstand van het parkeerterrein. Ik kijk er verwonderd naar. Heb ik dat eerder over het hoofd gezien? Die kans acht ik zo goed als uitgesloten. Ik weet vrijwel zeker dat de stukken vorige keer nog over het hele terrein verspreid lagen. Staatsbosbeheer kan het niet zijn geweest, die heb ik ergens anders in de weer gezien, en ze zullen niet speciaal hierheen zijn teruggekeerd om het hout op een hoop te gooien.

Dan rest er maar één mogelijkheid: kapers op de kust. Zou het? Lieten snode lieden hun oog op dit hout vallen, namen ze zich voor het te pikken, *zonder* bij hun plannen aan mij en mijn plicht te denken? Bestaat het?

Als ik even later naar huis rijd ben zo afgeleid door deze gedachten dat ik ternauwernood een hond kan ontwijken. Met moeite dwing ik mezelf mijn aandacht op de weg te houden. Maar ik moet snel zijn. Vandaag lukt niet meer, na het wandelen heb ik last van een blessure die ik het jaar ervoor opdeed; mijn schouder. Dan moet het maar tijdens de kerstnacht. Al bijna zo lang ik leef ben ik al voor Beëlzebubs horden bestemd, dus dit kan er ook nog wel bij. En de kerstdagen moet ik toch zien door te komen. Als het me lukt, heb ik tenminste een goede kerst.

EENENTWINTIG

Stille nacht

De dag voor Kerstmis is het weer veranderd. Het is vochtiger, al regent het niet. Door de sluierbewolking heen is zelfs zon te zien. De wind zit in de zuidwesthoek, en er is voor gladheid gewaarschuwd. Maar dat geldt voor het westen. Hier in het oosten is het kouder en droger, en dat geeft me misschien de kans toch mijn klusje te klaren.

Als het hout de afgelopen nacht tenminste niet verdwenen is.

Ik heb slecht geslapen. De zon, die de temperatuur in mijn kamer doorgaans met minstens vijf graden verhoogt, zakt, en mijn kachel krijgt een extra stukje. Eiken. Afkomstig van een grote joekel, zo te zien. Eik ligt lang en geeft een levendig vlammenspel. Berk zorgt voor meer kleur. Beuk brandt rustiger.

Met werken aan mijn boek kom ik de dag door. 's Middags fiets ik nog even naar de p.d., ter controle. Het ligt er nog. Mijn avondprogramma staat vats. Tenzij iemand het nog voor de avond organiseert. Hoewel ik op geen enkele manier recht heb op deze buit, voel ik me bij die gedachte tekortgedaan. En in nog grotere mate ontredderd.

Weer thuis kijk ik op de thermometer. Min twee. De straat en de weg naar het bos waren droog. Dat is gunstig voor mijn expeditie.

Zoals gebruikelijk komen nu de angstgedachten op. Niet omdat ik iets doe wat wettelijk en maatschappelijk (of misschien beter gezegd: sociaal) gezien een misdrijf is, maar omdat het zo belangrijk is dat de plicht wordt gedaan en dat ik alle mogelijke belettende risico's bij voorbaat probeer te tackelen.

Met de rust is het vanaf dat moment gedaan, dus begin ik vast aan mijn voorbereiding. Het blad van mijn zaag is zo goed als nieuw, een iets ontzette tand buig ik in het gelid. Ja, die zal volstaan. Ik dood de tijd met het bereiden van mijn maaltijd en wat werk. Er belt nog iemand om me goede feestdagen te wensen. Degenen die het het moeilijkst hebben, denken aan een ander. Dit telefoontje maakt mijn dag meteen een stuk beter.

Dan is het tijd. Niet gaan is geen optie. Als ik het laat afweten duurt het weken voordat het rotgevoel weer is weggeëbd. Dus pak ik mijn kleine fietsje, stop de zaag en het maathout in een jutezak en steek voor de zekerheid ook mijn gsm'etje bij me. Mijn huissleutels verberg ik in de tuin; ergens in het bos moet nog een bos van me liggen.

Ik heb mijn donkere overall aan met de bodywarmer eroverheen. Ik kan hem openritsen wanneer ik begin te transpireren, wat ik bij dit werk sowieso doe, ongeacht het weer. Hiermee kan ik mijn temperatuur een beetje reguleren, vooral tijdens het afkoelen gedurende de terugrit op de fiets. Het zweten kan geen kwaad, maar het afkoelen vreet energie en is link. Mijn bril met aangepaste lenzen laat ik thuis; het systeem werkt nauwelijks in het donker.

De klokken onderweg geven steeds een paar minuten verschil aan. Het is koud maar windstil. In de kerk brandt geen licht; vanavond is er blijkbaar geen dienst. Boven me staan geen sterren. Het zal dus niet heel hard gaan vriezen. Aan een veter om mijn hals hangt de lantaarn en aan mijn riem heb ik het mes gebonden dat ik in Zuid-Amerika heb aangeschaft nadat ik er belaagd was. Zolang er lantaarns zijn bedek ik het met mijn hand. Het geeft geen prettig gevoel een wapen bij me te dragen, maar het is beter dan de angst nog eens aangevallen te worden.

In de buurt van de plek waar het hout ligt verberg ik de kleine fiets weer onder de twijgen van een enorme den. Dan ga ik de beek langs en het pad over waar ik vorig jaar mijn schouder kneusde en die blessure opliep. Op de plek aangekomen dwing ik mezelf eerst te luisteren. Ik blijf stilstaan en gebruik niet alleen de oren, die lang niet meer zo best functioneren, maar het hele lijf, zoals de professor me leerde. Ik zet mijn antennes uit om te bepalen of er in de omgeving vreemde elementen zijn die hier niet thuishoren. Elementen zoals ik dus.

Ik hoor alleen de nachtrust, die ik met mijn aanwezigheid verstoor. Geritsel van kleine dieren die zich door het bladerdek bewegen. Gekraak van takken en stammen. Zo nu en dan een vliegtuig, of een auto op de weg. De grootste dissonanten zijn langsknetterende brommers en opvliegende kraaiachtigen; opnieuw die vogels die opschrikken om met veel misbaar een nieuwe stek te zoeken.

Meestal ben ik te onrustig om zo lang mijn oren en lijf gespitst te houden op tekens die misschien op onraad duiden, maar vanavond houd ik het vol. Misschien omdat het kerstavond is. Er razen twee auto's achter elkaar aan over de weg. Veel te hard. Op dit stuk wordt nooit gecontroleerd. Iets verderop, richting Doetinchem, wel. Daar ligt een langer stuk rechte weg, waar heel wat zalmsnippen worden gevangen.

Dan blijft het rustig. Ik ga aan de slag, nog altijd alert. Dat al die stukken daar bij elkaar liggen, maakt het werk extra griezelig. Ik voel me anders dan anders tijdens zulke nachten. Wie zit erachter? Er rolt een stuk hout ritselend de bladeren in. Dan een tweede en ik begin aan het derde. Langzaamaan gaan mijn voelsprieten weer een beetje in ruststand. Maar nog niet helemaal.

Ik ben net aan het berekenen dat ik hier nog ongeveer een uur bezig ben voordat ik naar huis kan om de auto te halen, als het bospad van het ene op het andere moment helverlicht is. Groot licht. Ik duik in elkaar in de hoop dat de kale struiken mijn donkere kleren voldoende zullen afschermen om verborgen te blijven. Mijn muts trek ik tot vlak boven mijn ogen. Mijn hart gaat tekeer.

Uit de auto die het licht verspreidt stappen twee figuren. Ze hebben – ook nog eens – een grote zaklamp met een brutale straal, die mijn onzichtbaarheid onmiddellijk tenietdoet. En hetzelfde doet met mijn zicht.

'Doe goddomme die lampen uit!'

'Dat zou je wel willen.'

Eigenlijk verraadde ik mezelf. Een van de gestalten gehoorzaamt braaf. Een pick-up, zie ik nu. Dus daarom lag het hout hier bij elkaar. Klaar om te vervoeren, in langere stukken, die ze met z'n tweeën wel in de auto kunnen krijgen. Geen gezaag, de bak in en weg.

Als ik er niet gezeten had.

'Wat moet jij hier?'

'Dat kan ik jullie evengoed vragen.'

'Dit hout,' de man wijst naar de hoop, 'is van ons.'

'O ja? Doe die lamp uit!'

De kerel schijnt me recht in het gezicht. Mijn lamp, even fel, herstelt het evenwicht. Als ik de straal bovendien scherp stel, heb ik hem zover dat hij de zijne op de grond richt. Dit houd ik wel even vol, en ik ben voorzien van nieuwe batterijen.

'Als je opsodemietert, laten we je ongemoeid gaan.'

'En waarom moet ík verdwijnen?'

Nu klinkt een tweede stem, van een vrouw, een beetje schel. 'Omdat wij ons dat hout toegedacht hadden.'

'Hebben jullie het soms gekocht?' vraag ik, tegen beter weten in.

'Dat gaat je geen moer aan. Opsodemieteren. We hebben niet de hele nacht de tijd.'

'Geen denken aan.' Nog niet althans, maar dat zeg ik er niet bij.

Ze smiespelen met elkaar. Wat zijn ze van plan? Zonder erbij na te denken maak ik het riempje van mijn Zuid-Amerikaanse mes los en leg mijn hand om de greep. Het koord sla ik één keer om mijn pols. Het wapen ligt nu goed in mijn hand.

'Opdonderen, of moeten we anders voor de dag komen?' wordt me toegebeten. Een dreigement. Zijn stem klinkt nu echt onvriendelijk. Of is het verpakte angst? Zijn ze gewapend? En zo ja, zullen ze hun wapen gebruiken? Ben ik zelf tot geweld in staat? In Zuid-Amerika, toen ik drie kerels van mijn lijf moest houden, ja, toen wel. Maar hier? Aan de andere kant, waarom zou zelfverdediging in eigen land iets anders zijn?

De twee gooien het over een andere boeg. 'Hoe had je het hout hier weg willen krijgen? Er staat niet eens een auto of zo.' Ik overweeg te liegen dat mijn maat elk moment terug kan keren met een kleine vrachtwagen. Dan is er sprake van een patstelling. Behalve dat het niet waar is. Ik wacht te lang, hij herpakt het woord.

'Onder de arm?'

De honende toon maakt me hels. Een slechte raadgever die zijn kop opsteekt.

Als ik nu zeg dat ik de auto ga halen, dan zullen ze doen alsof ze verdwijnen en alsof ze mij het hout laten. Dan hoef ik daarna niet terug te komen. Maar dan ben ik de buit kwijt.

Het ziet er niet naar uit dat dit spelletje door mij gewonnen gaat worden. Dat hebben ook mijn belagers door. 'Je kunt maar beter oprotten en ons het hout laten.'

Inmiddels zijn mijn ogen genoeg aan het donker gewend om het nummerbord van de pick-up te kunnen ontcijferen.

'PB-63-AK'. Ja, dat staat er. Zachtjes herhaal ik het nog een paar keer. Hardop herhalen helpt om iets in het brein op te slaan. Al twijfel ik of dit hardop te noemen is.

'Nou, ga je nog, of moeten we uit een ander vaatje gaan tappen?'

Weer een zinspeling op een eventueel wapen. Of doelen ze op fysiek geweld? Met twee man vechten red ik niet. Sinds die ene avond in de Boliviaanse hoofdstad is mijn conditie flink achteruitgegaan. Mijn mes gebruiken is wel de laatste optie – hoewel mijn nederlaag slikken niet veel hoger scoort.

'Dan moet je het zelf maar weten,' zegt de man, en maakt aanstalten in beweging te komen.

'Blijf staan,' zeg ik in een impuls. 'Ik heb een wapen.'

Mijn mes houd ik gevechtsklaar in mijn vest. Mijn hart bonkt alsof het eruit moet. In Sucre had ik alleen een bergschoen als verweer, juist dat was voor mij aanleiding een mes aan te schaffen. In mijn schuur sleep ik het in de goede vorm, zodat het perfect in mijn hand lag, en maakte ik het vlijmscherp.

De man zet een kleine stap terug, maar blijft rustig. Mijn lamp volgt zijn voeten. 'Wij zijn ook voorzien.'

Ik zie niets, maar dat zegt niks. Mijn mes is voor hen ook verborgen. Alsnog een patstelling. Alleen een voorbijrijdende auto zou mij nu misschien kunnen helpen. Maar die komt natuurlijk niet. Wel vliegt boven ons een vliegtuig. Frankfurt of Zürich. Het zal nu ongeveer middernacht zijn. Op de weg verderop raast wel een voertuig voorbij, maar de bestuurder mijdt het bospad.

Daar staan we dan. Waar gaat dit naartoe?

De man sist iets tegen zijn vrouw, die naar de pick-up loopt en terugkeert met een aks. Dit is niet grappig meer. Willen ze me bang maken, of zijn ze echt van plan die te gebruiken? Mijn mes hebben ze nog altijd niet gezien... Toch? Dit is een werkelijkheid die ik niet verwachtte en waarop ik, ondanks dat ik het mes meenam, niet voorbereid ben. Niet in deze nacht.

Hij zet een stap in mijn richting, en is nu bedreigend dichtbij, op een afstand van ongeveer twee meter. Hij staat bovendien iets hoger dan ik. Ik ben dus dubbel in het nadeel.

Voorzichtig zet ik een stap terug, maar ik word tegengehouden door een niet zo dikke boom. Rugdekking van een jonge beuk.

De ander zet weer een stap. En hij heeft een aks. Op het moment dat zij 'Niet doen!' gilt, gooi ik. Ongericht, maar niet zonder effect. Met een gesmoorde kreet valt de man op de rand van het bospad, de begroeiing in. Zijn bijl valt ook.

'Je hebt hem geraakt, lul! Je smeet je mes in zijn lijf! Je raakte hem godverdomme!' De vrouw rent op hem af en gilt het uit, hysterisch. Het moet in de wijde omtrek te horen zijn, maar er komt niemand. Geen reactie. Zelfs geen kraaiachtige die met misbaar op de wieken gaat. Ze blijft gillen. 'Je raakte hem! Je raakte hem!'

Dan graait ze de bijl die in het licht van zijn gevallen lamp op de bosbodem ligt en komt op me af. Mijn mes moet nog vastzitten in zijn lijf, of anders op de grond liggen. Het enige wat ik kan doen is haar een trap verkopen, als dát tenminste lukt.

Het lukt. Ik hoor gekraak en dan zit ze iets verderop en grijpt naar haar been. Voor mijn ruim zeventig jaar ben ik nog behoorlijk sterk. Al staat ze best snel weer overeind.

De lamp die op de grond lag is om de een of andere reden uit gegaan, en de mijne ben ik kwijtgeraakt. 'Waar is de lamp?' snauw ik. Ondanks mijn onvriendelijke toon luistert ze blijkbaar en reikt me de zaklamp aan. De man ligt op zijn rug, zijn ogen rollen angstig heen en weer. Het mes, mijn mes, raakte hem in de hals. Links. De technicus in mij stelt snel vast dat hij daar een verticale snee heeft. Een die de spier splijt, niet doorsnijdt. De diepte kan ik zo niet zien, maar de lengte is een centimeter of vijf. Het bloed welt eruit. Niet met stoten, dus de slagader is niet geraakt.

Met mijn rechterhand druk ik de wond dicht. Het bloed is kleverig en glibberig. 'Heb je een zakdoek,' vraag ik bits, 'liefst een grote en schone? Papier mag ook.' Heeft ze niet. 'Wc-papier dan?' Gelukkig komt ze met een hele rol aanzetten. 'Scheur er een dikke halve meter af.' Ze doet het. 'Opvouwen.' Doet ze ook. Al mijn bevelen volgt ze op, ook in eigen belang. Ze is redelijk snel van begrip en reactie.

Ik vouw het papier dubbel en duw het stevig op de wond. Omdat het nog wat ielig voelt, vraag ik haar nog een halve meter af te scheuren en er nog zo'n pakketje van te maken. De wondranden duw ik met beide handen tegen elkaar. 'Heb je een gsm'etje?' Heeft ze niet. 'Daar,' ik wijs naar de grote den. 'Onder die den ligt mijn fiets, in de tas zit een gsm'etje.' Even later heeft ze hem te pakken. 'Weet je hoe die werkt?' Ze zegt dat ze er wel eens een leent, voor de lol. 'Bel 112 en laat de politie waarschuwen.' Ze hoeft niet lang te wachten. Ik leg de alarmdienst uit waar we precies zijn, want zij weet de weg hier niet. Dan zijn we omringd door de stilte van de nacht.

'Wat een verdomde troep zeg,' vloek ik.

'Jij smeet,' zegt ze terug. Ik zwijg, en realiseer me dat deze muis nog een aardige staart zal hebben. Alles wat ik zeg, is wellicht te veel.

We zijn nog redelijk rustig. De shock moet ongetwijfeld nog volgen. De gewonde kreunt zachtjes. Hij is bij kennis. 'Heb je de smaak van bloed in je mond?' vraag ik hem. 'Beweeg je hand als het zo is.'

De hand blijft stil. Gelukkig. Misschien valt het dan mee, al durf ik daar nog niet echt op te hopen. Evenmin durf ik het drukverband los te laten.

De vrouw probeert ondertussen wat sporen te wissen met haar voet. Op mijn 'Laat dat' reageert ze niet. Nou ja, het was toch al een troep.

Niet veel later komt snel maar gecontroleerd een ambulance het bospad opgereden. Routineus ontwijkt hij de pick-up die er staat geparkeerd. Achter de ambulance stopt een politiebusje.

Bij het licht dat een van zijn ambulancebroeders voor hem uit schijnt kijkt de dokter naar de door mij genomen maatregelen. Hij knikt. 'Prima, nog even houden zo.' Na enkele voorbereidingen wordt er een verband gelegd dat de wond bedekt en tegelijkertijd voorkomt dat de man zijn hoofd en romp kan bewegen. Een korte groet, en de ambulance verdwijnt weer. Wij staan ondertussen te wachten, ik heb het koud gekregen. Of het moet de shock zijn waardoor ik sta te rillen.

De vrouw wordt verzocht de pick-up op de parkeerplaats te zetten en de brigadier vraagt naar mijn vervoer. Ik wijs naar de grote den, waaronder mijn fietsje is blijven liggen. Dat doet de vrouw kennelijk aan het gsm'etje denken. Ze reikt me mijn eigendom aan. Ineens word ik benieuwd wat er eigenlijk in haar omgaat.

'Komt u de bus in?'

We stappen in en de portieren gaan dicht. Hierbinnen is de temperatuur aangenaam, zodat ik me afvraag of deze busjes zonder gebruik van de motor verwarmd kunnen worden. Misschien lijkt het ook maar zo. Het contact met mijn lichaam ben ik kwijt.

De zaag, het maathout, mijn zaklamp, haar zaklamp en de aks worden in afzonderlijke plastic zakken gestopt en van een label voorzien. Met een stift schrijft de brigadier er nummers op. Die noteert hij vervolgens op een formulier. Voor het proces-verbaal, begrijp ik. Maak de borst maar nat.

De hoofdagent stapt nog even uit en kijkt rond. Hij maakt een paar foto's met flits, onder andere van de pick-up. De brigadier belt ondertussen met het verzoek of iemand sporenonderzoek kan komen doen.

Zodra de hoofdagent weer binnen is zegt hij: 'U hoeft niets te zeggen.' Hij gaat zitten en vervolgt: 'Maar het bevordert de goede gang van zaken als wij wat vernemen mochten.'

Even is het stil. Alleen het radioapparaat maakt geluid. Het is slecht gemoduleerd. Groene lichtjes verraden waar het zich bevindt, maar niemand slaat er acht op.

De vrouw zwijgt en blijft zwijgen, dus ik begin. 'Meneer, ik kom er rond voor uit, ik was daar hout aan het organiseren.'

'Organiseren?' De brigadier is nog vrij jong en niet bekend met oorlogsjargon.

'Jatten,' leg ik uit.

'Aha.' Stilte. 'En?' klinkt het dan, uitnodigend om verder te gaan.

'Om de stukken te vervoeren moest ik de lange stukken kort zagen. Anders kreeg ik ze niet in de auto.'

De politiemannen luisteren aandachtig. Ze zullen toch wel wat gewend zijn? vraag ik me bezorgd af.

'Terwijl ik bezig ben komt die pick-up de bosweg op rijden en stopt bij de plaats waar ik aan het werk was. Er stappen twee mensen uit, de gewonde man, en zij.' Ik wijs naar de vrouw die stuurs voor zich uit zit te kijken. 'Ze vroegen me op onvriendelijke toon wat ik daar deed. Even onvriendelijk, meneer, antwoordde ik dat het ze geen moer aanging. Daarna werd ik, alweer op onprettige wijze, aangeraden op te sodemieteren.'

'Sodemieteren, meneer?'

'Deze discussie ging zo nog even door, tot de gewonde man de vrouw', een klein gebaar haar kant uit, 'de opdracht gaf de aks uit de auto te pakken.'

'U bezat ook een wapen, meneer?'

'Ja meneer, ik bezat ook een wapen. Ik nam mijn wapen pas goed in de hand toen hij, de gewonde dus, met geheven aks voor me stond.'

'Waarom ging u niet weg?' vraagt nu de hoofdagent.

'Daar, meneer, heb ik zwaarwegende redenen voor. Ze hadden al gezegd dat als ik op zou sodemieteren, ze me ongemoeid zouden laten gaan.'

Nog steeds zat de vrouw broeierig voor zich uit te zien. Ik was wel benieuwd waar zij mee zou komen, als ze tenminste haar mond nog open ging doen.

'En wanneer, meneer, gooide u uw wapen naar de gewonde?'

'Ik gooide, meneer, nadat hij een stap vooruit deed en ik na een kleine stap terug door een boom niet verder naar achteren bleek te kunnen.'

'En zijdelings uitwijken?'

'Twee redenen, meneer. Het kwam geen moment in me op om ervandoor te gaan. Dat verklaarde ik zojuist al. Bovendien stond er struikgewas, zoals u na kunt gaan.'

Ik vroeg me af of dit misschien op band opgenomen werd, en gedroeg me voor de zekerheid zo voorkomend mogelijk.

'Daar komt nog bij, meneer, dat het maar de vraag was of zij me met rust zouden laten als ik inderdaad was gevlucht.'

Alleen het metalen geluid van de communicatieapparatuur verstoorde de stilte. De hoofdagent deed de korte mededeling dat ze nog bezig waren op de p.d. De plaats werd doorgegeven en kennelijk werd aan de andere kant dank uitgesproken, want de hoofdagent eindigde met: 'Graag gedaan, meneer.'

'En u, mevrouw,' klonk de uitnodiging nu aan haar gericht. 'Wat wilde u daar in het bos gaan doen?'

'De hond uitlaten, meneer.'

Mijn mond viel bijna open. Ik had me op van alles voorbereid, maar een hond, nee, dat was niet in me opgekomen.

'Uw hond uitlaten?' De politieman klonk evengoed verbaasd. 'Mag ik weten, mevrouw, waar uw hond nu is?'

'De hond is bang het bos in gevlucht.'

Ik luisterde verbluft. Ik was oprecht benieuwd hoe zij zich hieruit dacht te gaan redden.

'Hoe komt u erbij om juist daar de hond uit te gaan laten? Ik heb de indruk dat u deze plek niet goed kent. De gegevens omtrent de locatie ontvingen we van meneer hier, althans, de ambulancemedewerkers spraken van een mannenstem. Klopt dat, mevrouw?'

Ze zweeg.

'Het is nu weer rustig, mevrouw. U mag uw hond nu fluiten of roepen. U kunt uw hond hier toch niet achterlaten, mevrouw.'

De hoofdagent pakte twee vellen papier en verzocht mij om alvast mijn naam en relevante persoonsgegevens op te schrijven. 'U heeft niet toevallig een legitimatie op zak?' In zijn stem klonk een sceptisch ondertoontje door. De vrouw klom aarzelend de bus uit en begon schel te fluiten. Maar er kwam geen hond opdagen. Toen kwam ze de bus weer in en ging zitten.

'Heeft uw hond geen naam, mevrouw?' Ze zweeg weer. 'Mevrouw, neemt u altijd uw aks mee, als u de hond uitlaat?'

'Er loopt tegenwoordig allerlei kwalijk gespuis rond, meneer,' zei ze terwijl ze mij aankeek.

'Inderdaad, mevrouw,' klonk het droog. Ook zij mocht nu haar antecedenten aanreiken, wat ze aarzelend deed.

'Wilt u zo goed zijn, mevrouw, hier ook de naam, het ras, de kleur en de leeftijd van uw hond te vermelden? En als u het weet ook graag het nummer van de verplichte penning.'

Ze keek even naar hem op. Ik moest een glimlach onderdrukken. Als er geen hond was, stond ik er ondanks de gewonde toch iets beter voor.

'Mevrouw, meneer, wij zijn verplicht u mee te nemen naar Apeldoorn. De ernst en de aard van de verkregen inlichtingen wettigen deze maatregel. '

'Meneer,' zei ik, en stak mijn hand op. 'Kan mijn fietsje

meegenomen worden? Het ligt daar bij die grote den.'

'Zeker, meneer.'

De hoofdagent stapte uit en haalde mijn fiets weer tevoorschijn. Hij werd tegen het schot van de bestuurderscabine gezet. Daarna ging de hoofdagent voorin zitten en startte de motor.

Voor zover ik me er nog iets van herinner, werd er tijdens de rit niet gesproken. Voorin klonk enkel het gebabbel van het communicatieapparaat. Een enkele keer gaf de hoofdagent kort antwoord. Onze vervoerders wekten de indruk dat dit alles routine voor ze was. Twee pakketjes afleveren en hup, door naar de volgende klus. Kerstnacht of niet. Zelf was ik aardig in shock, mijn gedachten gingen alle kanten op.

In Apeldoorn werden we keurig ingeschreven, of 'in ontvangst genomen', zoals het heette, en volgde de mededeling dat insluiting gewettigd was gezien de tegenstrijdige verklaringen. Daarna werden we in bewaarcellen ondergebracht. Afzonderlijk, uiteraard. Vrolijk kerstfeest. Pas later vernam ik dat bij dit soort situaties mensen meestal in Doetinchem worden ondergebracht, maar vanwege een verbouwing konden we daar deze nacht niet terecht.

Toen de deuren van de cel achter mij dichtknersten sloeg de paniek even toe. Maar al snel lukte het toch me bij de situatie neer te leggen. Rechten of geen rechten, ik zat in de puree.

Ik keek eens goed om me heen naar mijn tijdelijk onderkomen. Het was of de duivel ermee speelde (wat hij ongetwijfeld deed). De muren en de wanden waren groen. Het raam was van onbreekbaar glas. De vloer, hoe bestaat het, was van graniet. Het meubilair was sober, heel sober. Haast onverwoestbaar. Op het bed, of de brits, zoals het in de bajes heet, alleen dekens. Geen lakens, die kunnen aan elkaar geknoopt worden.

Moedeloos legde ik me op de brits neer om het gebeurde te overdenken. De lamp brandde nog even, tot na ongeveer een kwartier een stem klonk dat over vijf minuten het licht uit zou gaan. Alleen van achter een matglazen paneel kwam nog een zwak schijnsel de ruimte binnen. Dat stoorde me niet, zo wist ik tenminste een beetje waar ik was.

Voordat Morpheus zich die nacht over me ontfermde spookte de vraag door mijn hoofd of de politiebus in de bocht van de A18 naar de A12 de ononderbroken streep was overgegaan. Als ik daar rijd is mijn snelheid altijd net even te hoog voor de draaicirkel. Dan moet je de streep wel over om de straal van die cirkel langer te maken. Om mij heen was het stil, op wat verre geluiden na. Buiten klonk af en toe verkeer en ik hoorde een deur die kennelijk uit de hand schoot. Toen viel ik in slaap. Waar ik Morpheus dit keer niet dankbaar voor was.

TWEEËNTWINTIG

De jury

De boze, licht sarcastische sermoenen laat ik die nacht gelaten over me heen komen. De klap op de granieten vloer wordt gevolgd door een gevoel van opluchting dat niets gebroken is, waarop de vergetelheid volgt.

***

De wanden zijn geweken, het licht is gedoofd en ik ben op een aangenaam vertrouwde plek. De bezigheden zijn al even vertrouwd, maar die haat ik. Toch kan en mag ik ze ondanks de Roomsche Bekanntmachungen niet laten. IJverig ben ik aan het zagen en sjouwen. Elk stuk dat klaar is voor vervoer draag ik naar de plek waar ik straks met de kleine auto komen kan. Vandaag is de afstand niet groot, maar het is wel een lastig traject. Steeds weer moet ik met een stuk hout van zo'n vijfentwintig à dertig kilo twee droge sloten door. Ik heb er nu twaalf of dertien gehad, waarvan sommige ook wat lichter zijn. Gelukkig heb ik mijn bergstappers aan, zo weet ik tenminste zeker dat mijn voeten goed terechtkomen.

Het is nog niet echt donker, voor mij tenminste niet. Ik kan de contouren van de bomen en bosranden heel duidelijk onderscheiden. Ik zaag en sjouw in een redelijk rustig tempo door. Het voelt veilig, maar desondanks word ik zoals zo vaak beziggehouden door de vraag wat er zou gebeuren als ik nu op heterdaad betrapt zou worden. In dit stadium zou ik me er niet langer handig uit kunnen praten. Niet met die zaag in de hand en het stuk maathout dat ik bij me heb gestoken en al het zaagsel op de bosbodem. Er zijn alleen een paar takken van een grove den die de scène enigszins maskeren.

Zacht zucht de wind tussen de bomen. Misschien wel om wat hier gebeurt.

Het zoveelste blok is klaar. Mijn werk zit erop. Mijn lantaarn stop ik in de zak van mijn bodywarmer, vervolgens ga ik zonder licht de paden over naar de grote weg, waar ik eindelijk even niet de kans loop dat me vragen worden gesteld, of erger. Over twintig minuten ben ik thuis.

Maar juist nu word ik overvallen door een gejaagd gevoel. Ik trap flink door. Dan berg ik mijn fietsje op en trek een schoon shirt en een droge trui aan. De auto duw ik naar buiten en de garagedeur knarst weer dicht. Ik denk zelfs aan de autopapieren. Mochten er moeilijkheden komen, dan heb ik daar in ieder geval geen gezeur over. Met het gebruikelijke lawaai start de motor, en ik rijd weg.

Tot aan de plek waar ik het bos in ga, heb ik rust. Onderweg kan me weinig gebeuren. Op straat is sowieso niemand te bekennen. Iedereen slaapt de slaap der rechtvaardigen, een slaap die voor mij niet is weggelegd. Of goed beschouwd juist wel weggelegd, en goed opgeborgen, op een plek waar ik er niet bij kan.

Het is niet ver rijden. Het laatste gedeelte, over de bospaden, leg ik af in de tweede versnelling, zodat ik de ingang tussen de bomen door niet mis. Hier wordt het al link. Stel dat ze me aan het opwachten zijn... Ik kan nu nog doorrijden, om een stuk verderop onverrichter zake weer naar huis te gaan. Maar dat doe ik niet. In een voorzichtige maar besliste bocht draai ik mijn kleine auto van de openbare weg af.

Nu ben ik al in overtreding. Hier mag je met de auto niet komen. Na enkele meters zie ik de stapel al liggen. Ik keer de auto en manoeuvreer hem met gedoofde lampen zo dicht mogelijk ernaartoe. Het moment is gekomen om even te wachten. Even pauzeren om de sfeer te proeven en te voelen. Een noodzakelijk intermezzo dat ik elke keer weer moeilijk kan opbrengen.

Ik gooi de bedekkende dennentakken opzij, zet de achterklep open en begin met laden. Maar nauwelijks liggen er twee stukken in of ik sta in een baaierd van licht.

Ik geloof niet dat ik schrik. Diep vanbinnen heb ik hier altijd rekening mee gehouden. Het kon, moest haast een keer gebeuren. Net als vroeger, toen ik er nog op uit ging op straffe van die boze sermoenen, over de ontaardheid van een jong kind dat zijn ouders, broers en zusjes zonder brandhout laat zitten. Toen lukte het me als ik iemand ontmoette om me eruit te kletsen. Of beter gezegd: toen had ik geluk. Het geluk dat van alles even niets meer klopte.

Ik had me al vaak voorgesteld hoe het zou gaan, en zag dan een droomtoestand voor me, alsof ik een toeschouwer was. De verhoren, de cel, de administratieve procedures; ze waren mijn aangelegenheid, en ook weer niet. Alsof ik een zekere mate van rust ervoer. Nu zal de gemeenschap, uit monde van de rechter, uitspraak doen. Nu zal duidelijk worden of het gerechtigd was al die elzenstammen uit het bos van boer Geesink om te zagen en op de Duitse bolderkar te laden. De blik op oneindig, het verstand op nul, de lange, lange weg naar huis, vergeefs hopend op schouderklopjes.

Voor mij staat de rechter, iets verderop de aanklager en de griffier. Naast mij staat de toegevoegde advocaat, want ik weigerde er zelf een te nemen. Ook met deze man sprak ik niet, na enkele pogingen vertrok hij onverrichter zake. Achter mij, iets verhoogd, zit 'de jury'. Tien mensen die hun oordeel moeten geven over wat de feiten hun zeggen. Hun oordeel moet eenduidig zijn.

Voor mij maakt het weinig uit. Of de deur van de betonnen cel sluit zich, of de deur van de onzichtbare cel blijft gesloten. Alleen de dood zal in staat zijn me uit beide cellen te bevrijden.

De feiten worden voorgelezen, de rechter vraagt me of ze kloppen. Aangezien ik op heterdaad betrapt ben, heeft ontkennen weinig zin. Ik kan het toch niet winnen.

Eindelijk is het zover: de jury weet genoeg en trekt zich terug om het gehoorde op een rijtje te zetten, nadat de rechter er nogmaals op gewezen heeft dat de uitspraak eenduidig moet zijn. En ik, ik word in de tussentijd ingesloten. Ook dat voelt inmiddels al best vertrouwd.

Het is rumoerig in de rechtszaal, maar als de jury binnenkomt verstomt het geluid. Pas als er doodse stilte is vraagt de rechter naar het oordeel van de jury. Die spreekt, ondanks de waargenomen en niet ontkende feiten, bij monde van de voorzitter een 'onschuldig' uit. Maar daarmee is het niet gedaan. De gemeenschap heeft het recht om tegen dit soort gebeurtenissen beschermd te worden, ervan verschoond te blijven. Om die reden blijft de aangeklaagde in detentie; het wordt noodzakelijk geacht dat de aangeklaagde zich aan een behandeling onderwerpt.

'Edelachtbare,' breng ik in, 'hoef ik niet meer in die kamer?'

'Welke kamer bedoelt u, beklaagde?'

'De kamer, edelachtbare, met de groene dubbele deur, de gesausde muren. De lamp die altijd aan staat en het onbreekbare glas.'

'Ah die. Dat, beklaagde, is aan het behandelend team.'

***

De groene deur gaat open en meteen weer brandt die lamp. Twee politiemannen komen de cel binnen en zien mij zitten, op de rand van het bed.

'Problemen?' vraagt de kleinste van de twee.

'Sorry, ik had een nachtmerrie.'

'U heeft nogal wat lawaai gemaakt.'

'Heren, het spijt me. Het was niet de eerste keer en het zal zeker niet de laatste keer zijn.'

Even aarzelen ze. 'Moet er een arts komen?' vraagt de grootste dan.

'Nee, het gaat wel weer. Hoe laat is het? Ik heb geen horloge.'

'Over een paar minuten is het zeven uur. Over een uur krijgt u uw ontbijt.'

'Kan ik iets te lezen krijgen?'

'We zullen zien wat we kunnen doen, meneer. Heeft u een voorkeur?'

'Zo mogelijk een thriller.'

'Is dat wel verstandig?'

Ik grijns, zij ook.

DRIEËNTWINTIG

Tom

Tussen zeven en acht heb ik de tijd mijn onderkomen te verkennen. Daar ben ik snel klaar mee. Ik kan het zelfs doen vanaf de rand van het niet eens zo slechte bed. Zelfs de sanitaire uitrusting is niet aan het oog onttrokken. De wasbak nodigt niet uit om te wassen, de wc is van roestvrijstaal en oogt vertrouwd onverwoestbaar. De handdoek is schoon, meer kan er niet over gezegd worden. Op de stoel na is alles onwrikbaar vastgemaakt. Het uitzicht is allesbehalve adembenemend. Het glas is dik, dat hoor en voel je als je ertegenaan tikt. Thuis heb ik aan de achterkant ook van zulk glas. Hier de pendant.

Daar is mijn eten, oftewel: het ontbijt. Het komt van een cateringbedrijf. Afzonderlijk verpakte broodjes, dichtgeseald. Hier eet je niet, maar werk je voedsel naar binnen. Gevangenistaal. De koffie is heet, zoet en sterk. Gevangeniskoffie. 'Als u op deze knop drukt, dan is er nog een beker.'

'Dank u.'

Ze behandelen me heel anders dan bermuddamans, inmiddels alweer een eeuw geleden. Hij zou evengoed van deze scène genieten. Laat hem maar.

Ik probeer me te herinneren wat me vannacht aan rechten is voorgelezen. In flarden schiet het me te binnen. Justitie is gerechtigd mij drie keer vierentwintig uur vast te houden, als de situatie daarom vraagt. In jargon heet dat 'in bewaring stellen'. Opgeborgen als een pakketje. Een lastig pakketje, gezien het lawaai dat ik deze nacht heb gemaakt. Buiten probeert de dag het van de nacht te winnen, maar het is een moeizame strijd. Toch gaat de kerst, dankzij de thriller, een Ludlum, onverwacht snel voorbij. Dat had ik me heel anders voorgesteld, zeker na mijn nachtmerrie, waarvan ik vurig hoop dat die niet bewaarheid wordt.

De dienstdoende ambtenaar die me mijn ochtendmaal bracht deelde me mee dat ik om negen uur 'voorgeleid' zou worden. 'Helaas voor u is de officier iezegrim,' voegde hij er ook nog aan toe. 'Maar ik heb het niet gezegd.' Toen verdween hij.

Ook dat zou bermuddamans nooit hebben gedaan. Maar geruststellend is het niet. De angstscheuten schieten nu door mijn lijf. Het gaat erom spannen. Mijn vraag hoe het met de getroffene is, bleef onbeantwoord.

In krimi's wordt de plaats delict afgezet, zodat de specialisten aan het werk kunnen. Is dat hier ook gebeurd? Wat zouden ze vinden aan sporen, aan eventueel achtergebleven voorwerpen en wat er verder nog van belang is? Dat gaan ze mij natuurlijk niet aan mijn neus hangen.

Eindelijk gaat de deur open en komt de politiefunctionaris me halen. Geen boeien of andere intimidatie. Alleen een simpel: 'Meneer, gaat u mee?'

We gaan met de lift omhoog. Een klop op de deur en een onduidelijk geluid. Een kantoor. En weer dat deprimerende groen van mijn tijdelijk onderkomen. Zelfs de verf op de deur lijkt uit zo'n zelfde soort blik te komen. Het raam biedt een al even weinig inspirerend uitzicht als mijn cel. Alsof ze hier aan nivellering doen.

Daar zit de man die mijn lot voorlopig in handen heeft. Hij is groot, heel groot, en doet me aan iemand denken. Als ik me herinner aan wie, schiet ik in de lach. Wat me vanzelfsprekend een misprijzende blik oplevert. Want wat valt er te lachen als je na een misdrijf voorgeleid wordt?

Maar ik kan het niet helpen. Ik zie de strip van Tom en Jerry voor me. De iets puntige oren, de blik die bedoeld leek om de voorgeleide, mij, klein te maken. De stem die gewend is om te imponeren, ineen te doen krimpen, en die mij mijn rechten voorleest. Ze dreunen me in de oren. Mijn gehoorapparaat kan op de laagste stand. Dan stelt hij een vraag waarmee hij zowaar een menselijk trekje toont. (Ook dat klopt, Tom had ook wel eens mededogen met zijn rivaal, Jerry. Of is het rivale?)

De vraag is of ik correct behandeld ben. Ik kan bevestigend antwoorden. Dan weer terug naar mijn rechten. Een ervan is het gebruik van juridische bijstand. 'Heeft u een eigen rechtskundige?'

'Nee, meneer, die heb ik niet. André neemt geen klusjes meer aan. Verder ken ik niemand in deze wereld.'

'Dan, meneer, is de keus aan mij. Dan zoeken wij een rechtskundige voor u, die u naar beste kunnen zal bijstaan. Maar die schud ik vandaag niet meer uit mijn mouw. Of u vertelt míj de hele geschiedenis, en ik neem een beslissing. De consequentie is dan dat ik gerechtigd ben u vast te houden.'

Voordat ik hierop inga, vraag ik de man of ik hem een vraag mag stellen. Met enige tegenzin stemt hij toe. 'Hoe is het eigenlijk met de gewonde afgelopen?' vraag ik hem.

De man kijkt stuurs voor zich uit, en ik bedenk dat ik waarschijnlijk een verkeerde stap heb gezet. Maar dan pakt hij de telefoon, praat met iemand en legt de hoorn er weer op. Het duurt niet lang of een politievrouw verschijnt en legt een papier voor hem neer. Ze krijgt een brom als dank.

Bromde Tom ook wel eens? Het is mijn lievelingsprogramma, en toch kan ik me Toms stemgeluid voor de geest halen. Was het aangenaam of niet? Ik kan me alleen het lawaai herinneren als een van zijn soortgenoten bij mij in de dakgoot zat en zijn nood uitschreeuwde.

Tom kijkt me over zijn glanzende brillenglazen aan en zegt: 'U heeft meer geluk dan u verdient.'

Hieruit maak ik twee dingen op. De officier mag mij niet, én hij is niet van plan het mij makkelijk te maken. Eigen schuld dan maar. Aan de andere kant, zeg ik tegen mezelf, je bent zo vaak van mening dat justitie te slap optreedt, en dat is dan nu eens niet het geval. Jammer voor je, broer.

Ik vertel Tom het verhaal dat zich die kerstavond heeft afgespeeld. Mijn toehoorder maakt geen aantekeningen, maar aan het handschrift zie ik dat voor hem het vel ligt dat de politieman me in de bus gegeven had. Mijn hanenpoten herken ik uit duizenden. Ook nu weet ik niet of wat ik vertel op band wordt opgenomen, en zet mijn beste tandje voor.

De officier kijkt weer voor zich uit, zijn gezicht staat nu in de nadenkstand. Dan schudt hij zijn machtige hoofd en beslist: 'Ik laat u naar huis brengen.' Een vrouwelijke agent brengt me met mijn fietsje naar mijn woning. Het is duidelijk routine voor haar, maar ze is zo inlevend te vragen of ik al dan niet voor de deur wil worden afgezet. Ik kies voor even uitstel van het spitsroeden lopen. Het zal gauw genoeg bekend zijn.

Ik stap uit aan het begin van de Slakweg en dank haar voor haar begrip. Ze knikt en groet correct. Dan keert ze de auto. Ik fiets langzaam naar huis en maak de kachel aan.

VIERENTWINTIG

Jerry

Nog voor de jaarwisseling was er een officieel schrijven waarin mij de naam en de antecedenten van de toegevoegde raadsman werden medegedeeld. En het telefoonnummer. Geen antwoord. Wel het door mij zo gehate antwoordapparaat, maar ik was niet bepaald in de positie dat ik mijn afkeer kon doen gelden, dus ik liet een boodschap achter.

Diezelfde avond belde meester Edringa mij op. Ze had haar praktijk dichtbij, namelijk in mijn geboortestad, Groenlo. We maakten een afspraak op 3 januari. Ze reserveerde er een uur voor.

Meester Edringa was klein en zag er pienter uit. Ik schatte haar minder dan de helft van mijn eigen leeftijd. Zo in haar kantoor oogde ze weinig formeel.

Ik vertelde haar in het kort wat er voorgevallen was. Haar eerste vraag klonk nogal bruusk. 'Heeft u het met opzet gedaan?' Ik was er even stil van, en liet de zwaarte van de vraag op me inwerken.

'Nee meester, ik heb dat mes niet eerder gegooid dan toen hij met geheven aks voor mijn neus stond. Maar ik kan het niet bewijzen. Als hij en zij beiden ontkennen, dan ben ik nergens.'

Ze antwoordde dat zij niet voor hem getuigen mocht. En dat het misschien wel was aan te tonen dat hij zijn bijl geheven had. 'Vertel het verhaal, het hele verhaal.'

Dus ik vertelde haar precies wat de officier ook te horen had gekregen. Na afloop was ze stil en keek peinzend voor zich uit. 'Vreemd, haast bizar,' was het commentaar van de kleine, wat tengere gestalte achter de werktafel, die schaars bekleed was met een telefoon en wat papier. Dat papier vormde het dossier, of wat het dossier worden moest.

Weer volgde een voor mij totaal onverwachte vraag.

'Wat verwacht u van deze zaak?'

En weer moest ik nadenken. Het voornaamste waar ik mee bezig was, was niet opnieuw in een Jelgersma-achtige kliniek terechtkomen, wat in dit geval het Pieter Baan zou zijn. 'De officier, merkte ik, lijkt me een hoogst ongemakkelijk heerschap. Ook meende ik te proeven dat ik hem niet zo erg lag.'

'Hoe komt u daar zo bij?'

'Gevoel. Een slechte raadgever, ik weet het.'

Licht ironisch keek ze me aan. 'Mijn taak is het me uitsluitend tot het juridische te beperken, en dat gedeelte ziet er niet goed uit.'

'Goed, meester, wat ik verwacht. Het hout, een boete of een kleine werkstraf. Het wapen, een behoorlijke boete of een poosje brommen.'

'Wat is voor u een poosje brommen? Voor een wiskundeleraar drukt u zich weinig exact uit.'

Het klonk pinnig, en ik waagde een grapje. 'Kon u het met mijn collega's niet vinden?' Een grijns, gelukkig. 'Een maand of drie,' zei ik toen, weer serieus.

Ze knikte.

'Want,' ging ik verder, 'mijn strafblad is nul komma nul, om heel precies te zijn. Als is aan te tonen dat hij zijn bijl geheven hield, dan schat ik anderhalf jaar, en als dat niet lukt het dubbele.'

Weer keek ze me met een wat ironische blik aan.

'Meester Edringa,' ging ik verder, 'waar het mij om gaat is zorgen dat ik uit het Pieter Baan blijf.'

'Het Pieter Baan?' Voor een juriste trok ze een behoorlijk vragend gezicht.

'Ja, het Pieter Baan, maar dat is ... dat is ... een hele geschiedenis...' De woorden kwamen moeizaam, en ik nam wat tijd om te herstellen. Zij wachtte geduldig. Toen het weer ging vervolgde ik: 'Het zal bij u ook zijn opgekomen dat een normaal mens niet op het idee zou zijn gekomen om op kerstavond een beetje brandhout te gaan stelen. Een mens zonder mijn achtergrond zou dat nooit doen. Wat er zojuist met mijn spraak gebeurde kan elk moment weer gebeuren. Dat is een overblijfsel uit die tijd.'

Even was het stil.

'Toch was u niet de enige.' Ook dit klonk ironisch. Maar misschien verbeeldde ik het me maar.

Toen ik stil bleef vroeg ze: 'Wat heeft dat met het Pieter Baan te maken?'

'Het hout jatten is een oud zeer. Dat wil ik met u delen omdat ik van mening ben dat u op de hoogte moet zijn van de aanleiding dat ik daar was. Als dat voor deze zaak van belang is zal ik u alles vertellen. Maar dat lukt niet meer in de resterende tijd.'

'Goed. Dan eerst iets anders. Wilt u met mij in zee?'

Nu keek ik haar raadselachtig aan. 'Eeeh ... in zee?'

Ze zweeg even. Ineens zag ze er kwetsbaar uit. 'Het is mijn eerste grotere zaak. Die mag ik niet verprutsen. Niet voor u, maar evenmin voor mijzelf. Als het echt de mist in gaat, ben ik in de advocatuur uitgerangeerd.'

'En dan moet u het ook nog eens opnemen tegen die bullebak van een officier. Weet u aan wie hij me deed denken? Aan mijn lievelingsprogramma op televisie. *Tom en Jerry.* En het is Jerry die Tom steeds weer op zijn snufferd laat gaan.

Nou, dat zie ik hier ook wel gebeuren, hoor.'

Nu bekeek ze me met een blik alsof ze een spook zag. 'Meester, wat ik bedoel te zeggen is: ik zie u wel zitten en ik reken op drie jaar plus nog wat geld, waardoor ik misschien mijn auto van de hand moet doen. Dat deert me niet. Als ik het hout gelaten had, was de schade voor mij veel groter geweest.'

Ze knikte, haast opgelucht. 'We maken een nieuwe afspraak. Op korte termijn, want uw verhoor zit eraan te komen. Even kijken, eeeh dinsdag aanstaande, in de avonduren? Een vrijdag zou voor mij nog beter zijn, want dan is het niet zo erg als het wat later wordt. Zes uur, schikt u dat?'

'Prima, meester, ik zal er zijn.'

***

Die vrijdagavond, een koude donkere avond, vertelde ik haar het hele verhaal. Inclusief het verblijf in Bastiaans' kliniek. Ze luisterde aandachtig en was in het bijzonder geïnteresseerd in de geluidsfragmenten die door hem af waren genomen. Toen ik klaar was, was de werktafel rommelig met het bandapparaat, papieren en koffiekopjes, leeg en gebruikt, en wachtte ik gespannen af.

'Nu kan ik begrijpen waarom u dat hout niet voor hem achterliet. Maar of Tom daar begrip voor heeft? Daar heb ik zo mijn bedenkingen bij.'

We spraken een strategie af. Namelijk dat ik, als het lukte, in de rechtszaal elke emotie zou vermijden. Want ook daar zou Tom weinig begrip voor hebben. Op die manier konden we ons tot de feiten beperken, en hij hopelijk ook.

Een paar dagen later werd ik uitgenodigd voor het verhoor.

VIJFENTWINTIG

Het verhoor

Voor het verhoor moest ik naar Zutphen, een plaats die ik goed kende. De verhoorkamer leek speciaal bedoeld om de delinquent te ontmoedigen. Kaal, functioneel, verfloos en tl-verlicht. Tegenwoordig mag er zelfs niet meer gerookt worden, wat ook in het nadeel van de verdachte kon werken.

Het verhoor zelf was weinig spectaculair. Ik vertelde het verhaal, waar ik volgens opzet in slaagde zonder enige emotie te tonen. Ik beperkte me tot de feiten, die werden opgeslagen en vervolgens de printer uitrolden. Ze werden me voorgelezen, waarna de brigadier me vroeg het proces verbaal te ondertekenen. Dat deed ik, en dat was dat. Ik was er nog geen halve dag aan kwijt, maar had een flinke migraine opgelopen. Er moest een prik aan te pas komen om die te verjagen.

Dit keer mocht de agent mij voor de deur afzetten. Het regende, en het was toch al bekend. Het leek haast wel of het voor kennisgeving werd aangenomen. Thuis kroop ik, alsnog doodmoe, in bed.

Die avond belde ik zoals we hadden afgesproken mijn raadsvrouw, en bracht kort verslag uit. Vervolgens bracht ze mij op de hoogte. Ze was te weten gekomen dat er geen complicaties waren opgetreden bij de gewonde, en dat hij het goed maakte. Ook was gebleken dat er geen hond bestond die uitgelaten moest worden. Twee keer voordeel voor ons.

Maar we waren er nog niet.

ZESENTWINTIG

Cynisme, dwangmatig handelen en recidive

Intussen had niemand me verboden naar het bos te gaan. De maand januari grijnsde me als een gemeen beest toe, alles wat afleidde was meegenomen. Mijn boek vlotte niet, in de tuin kon ik vanwege de kou niet aan de slag. Mijn bezigheden bestonden uit huishouden, lezen en wandelen. Dat laatste was een beetje riskant. Maar ik ging.

Toen ik op een van mijn wandelingen bij de p.d. kwam, zag ik tot mijn grote verwondering dat al het hout er nog precies zo bij lag, zowel de twee door mij op maat gezaagde stukken als het resterende gedeelte met de beginnende zaagsnede, die was onderbroken toen de pick-up kwam en alles vies uit de klauwen liep.

Het werd een lange wandeling, en ik bleef maar denken aan dat hout, en meer nog aan het waarom. Het leek erop dat Staatsbosbeheer niet eens op de hoogte was van wat zich allemaal op hun territorium afspeelde. Of het interesseerde ze simpelweg niet. Ik wist het niet en het zou weinig opleveren om bij Staatsbosbeheer zelf te informeren. De kans was zelfs groot dat ik ze alleen maar wijzer zou maken.

Al met al was het geen plezierig uitje. Met koppijn keerde ik terug naar huis, waar ik besluiteloos ronddarde. Het eten brandde aan en ik moest het nummer van iemand die ik wilde bellen driemaal draaien voordat het lukte. Het duurde lang, veel te lang, tot ook deze januaridag eindelijk voorbij was. In bed had ik nog geen rust, en werd ik beziggehouden door de vraag wanneer de oproep voor de rechtszitting in mijn brievenbus zou vallen, dan wel door een deurwaarder zou worden aangereikt. Binnen de kortste keren leek mijn bed op een voddenbaal. Soms dommelde ik even in en schrok weer wakker. Dan legde ik de dekens recht en kroop er weer onder. Het was allemaal vergeefse moeite.

Uiteindelijk gaf ik het op. Als een klojo met een bijl en zonder hond het maken kon, waarom ik dan verdomme niet? De achterbank stond nog op stand-by en het oude gordijn lag klaar. De nieuwe zaag was nog steeds ongebruikt.

***

Binnen twee uur lag ik weer in mijn weer rechtgetrokken voddenbaal, en sliep als in geen maanden. Hoe die rechtszaak zou gaan, dat zouden we wel zien. Al zou ik tegen die tijd vast anders piepen.

ZEVENENTWINTIG

Een slecht begin?

Niet veel later ontving ik een oproep om voor de politierechter te verschijnen. Met Jerry had ik het niet over het vervolg gehad, ik was ervan uitgegaan dat een college van drie rechters dergelijke akkefietjes afhandelde.

In de brief stond behalve datum en uur ook vermeld wat wel en niet mocht (zo was roken streng verboden). Ook werd duidelijk omschreven dat de aanklacht uit drie punten bestond: het gappen van hout ten nadele van Staatsbosbeheer, verboden wapenbezit (dat het vlijmscherp maken van het mes mij extra aangerekend zou worden, kwam ik pas in de loop van de zitting te weten), en dan het derde punt, de zware kluif: de worp met het mes met de ongelukkige afloop. Ik vroeg me af hoe de aanklacht had geluid als ik mijn slachtoffer niet geraakt zou hebben. 'Een poging tot,' lichtte Jerry later toe.

Het was een vroege februaridag, maar het leek wel lente. Een van die eerste lentedagen waarop rechtgeaarde huismoeders grote schoonmaak plegen. Datzelfde gevoel had ik bij het proces dat vandaag begon, en de straf die ik vervolgens zou moeten uitzitten. Daarna zou alles zijn weggepoetst en helder zijn.

Ik betrad de rechtbank met redelijk vertrouwen. Ik zou

het niet bekennen, maar had geen greintje spijt van het gooien met het mes. Zelf wist ik maar al te goed dat ik daartoe pas was overgegaan toen de situatie onhoudbaar werd. En dan was er nog de situatie met de hond die er niet was. Dat was nog niet bewezen, maar de vrouw moest vandaag getuigen en het zou haar zeker gevraagd worden. Jerry zou het uiteraard uitbuiten ten voordele van mij.

Jerry, verrek, ze is er nog niet. Ze zou het toch niet vergeten zijn? Ik voelde meteen paniek opkomen. Op dat moment werd ik uitgenodigd de rechtszaal binnen te gaan.

De februarizon scheen vrolijk naar binnen, het was alsof hij me in wilde wrijven dat ik hem in de bajes zou moeten missen. De landsvrouwe bekeek het interieur van de rechtbank met een ietwat hautaine blik, die misschien ook wel de nog afwezige andere raadsvrouwe gold.

Net als in het politiegebouw was er ook in de rechtszaal weinig standsverschil. De tafel van de rechter was ongeveer hetzelfde als die waar verdachte en raadsvrouw het mee moesten stellen. Die van ons was alleen een stuk langer. En de stoel van de rechter misschien iets comfortabeler.

Tom zat aan het einde van de lange tafel en wierp, naar het mij voorkwam, onheilspellende blikken de rechtszaal in. Ik begon me steeds meer zorgen te maken. Aan het andere eind van de tafel zat de griffier, die met zijn pen op het papier voor zijn neus tikte.

De meeste zorgen maakte ik me erover dat vanwege mijn verleden tot nader psychisch onderzoek zou worden besloten. Jerry had me verzekerd dat dat niet zo snel werd gedaan, maar mijn irrationele angsten hadden daar weinig boodschap aan.

Ter afleiding keek ik de zaal eens rond, naar wat hier nou eigenlijk op afkwam. Er was zo te zien weinig belangstelling voor de zaak. Wel was er één verslaggever van de krant: Peter. Ik kende hem, we waren ooit rivalen geweest in een gedichtenwedstrijd. Hij won hem glansrijk, maar zei na afloop tegen me: 'Jij schreef een gedicht en ik won de prijs. Bedankt voor je sportieve instelling.' Ik was namelijk een van de weinigen die hem feliciteerden. En gemeend.

In de hoek van de zaal stond een mooie, plechtige klok. Toen deze een kwartier na negen sloeg kondigde de officier 'de rechtbank' aan. Iedereen stond op, behalve Jerry, die er namelijk niet was. De rechter nam plaats en wij gingen zitten. Het was een vrouw met een kopergloed in het haar, die haar gezicht iets heel markants gaf.

Ze opende de zitting met de gebruikelijke rituelen, zoals het noemen van de naam, de overige persoonlijke gegevens en waar het hier precies om draaide. Terwijl ze daar nog mee bezig was, ging de deur open en kwam er iemand binnen. Het kon niemand anders dan Jerry zijn. Met ongetwijfeld een hoofd als een boei.

Ik keek schichtig achterom en zag mijn beide vermoedens bevestigd: het was Jerry en ze was dieprood gekleurd. Zo te zien niet alleen van schaamte, maar ook van ergernis. Ze verontschuldigde zich. 'Aanvaard,' klonk het laconiek.

Omdat de zon precies op mijn gezicht scheen, schoof een bode een van de gordijnen dicht. In een flits gingen mijn gedachten naar de uitvaart van een goede vriend, toen ik ook als enige in een bundeltje zonlicht had gezeten, wat de kille grote aula voor mij net iets vriendelijker had gemaakt. Maar dit gordijn moest blijkbaar worden gesloten, en bleef gesloten.

De rechter was klaar met de inleiding en ik had tijd om even opgelucht adem te halen. Te laat of niet, ze was er tenminste. Ik stond er niet langer alleen voor.

De rechter keek nu naar links, de plek waar de officier zat, dat wil zeggen: Tom in zijn hoedanigheid van officier van justitie. Over zijn smalle brillenglazen keek hij streng mijn kant op. 'Krimp, houtluis!' leken zijn ogen te zeggen.

Met kloppend hart wachtte ik af. Het gevoel dat ik had was vergelijkbaar met het gevoel bij een examen te zitten, of in de stoel van de tandarts, wensend dat ik alweer buiten stond.

ACHTENTWINTIG

De tenlastelegging

Toms moment was aangebroken. Hij nam het woord. 'Edelachtbare, de tenlastelegging bestaat uit drie punten. Het is gebruikelijk om met het zwaarste delict te beginnen. Staat de rechtbank mij toe daarvan af te wijken?'

De officier wachtte de toestemming niet af en daverde door, als een tank.

'Punt een van de tenlastelegging: het stelen van brandhout of dit voornemens zijn te doen, ten nadele van Staatsbosbeheer. Het tweede punt van de tenlastelegging: het in bezit hebben en gebruiken van een bij de wapenwet verboden wapen. Het derde en laatste punt van de tenlastelegging: een poging tot doodslag of het toebrengen van zwaar lichamelijk letsel. Het mag, edelachtbare, een wonder heten dat het slachtoffer deze aanval mocht overleven. Verder maak ik van de gelegenheid graag meteen gebruik mijn ongenoegen uit te spreken over het feit dat de raadsvrouw van de verdachte vandaag te laat is komen binnenvallen.'

De rechter trok eerst een verbaasd gezicht, toen verstrakte het, wat mij de hoop gaf dat Tom misschien wel een misstap beging, tegen de etiquette in handelde of wat dan ook. De stem van de rechter klonk in ieder geval onderkoeld toen ze reageerde: 'Meneer de officier, dank u wel. Maar ik acht uw laatste opmerking niet van belang in verband met de tenlastelegging. Griffier, mag ik u verzoeken deze laatste opmerking ongenoemd te laten?'

'Jawel, edelachtbare, tot uw orders.'

Tom kleurde zelfs niet een beetje. Hij was taai. Een harde noot voor mij om te kraken. Alleen is een noot behalve een voedingsmiddel in dat gezegde ook het lijdend voorwerp. En vandaag was die rol voor mij weggelegd.

'Was dit het, meneer de officier?' De rechter was nog steeds zichtbaar geïrriteerd.

'Jawel, edelachtbare.'

'Meneer.' De rechter keek nu met neutrale blik mijn kant op. 'U heeft de tenlastelegging gehoord?'

'Jawel, edelachtbare, de officier was zeer goed te verstaan.'

'Meneer, u heeft de drie punten van de tenlastelegging begrepen?'

Ik kon bevestigend antwoorden dat de officier dodelijk, duidelijk was.

'Dank u, meneer.' Ook de rechter vertrok geen spier. Het leek erop dat zij en de officier moeilijk door één deur konden, dan wel in één rechtszaal staan.

'Mevrouw,' de rechter wendde zich nu tot mijn raadsvrouwe. 'Heeft u nog iets aan te merken, te vragen?'

Haar toon was veranderd en nu welwillend.

'Dank u, edelachtbare. Punt een van de tenlastelegging is duidelijk. Ten aanzien van punt twee van de tenlastelegging, edelachtbare, wat stelt het Openbaar Ministerie daarin; het in bezit hebben van een verboden wapen, of het gebruik van dit wapen? Indien het laatste, edelachtbare, wat doet het laatste punt van de tenlastelegging er dan nog toe?'

'Meneer de officier?' Vragend keek de rechter naar Tom, die ging staan.

'Het Openbaar Ministerie vraagt excuus voor deze fout.

Het gebruik van het wapen wordt uit het tweede punt van de tenlastelegging verwijderd.'

'Mevrouw, kunt u daarmee instemmen?'

'Jawel, edelachtbare, mits ik van de officier de verzekering krijg dat de cliënt van dergelijke slordigheden verschoond blijft.' Op 'dergelijke slordigheden' werd veel nadruk gelegd.

Nog een stel voor twee deuren, dat ging lekker. Het was trouwens goed denkbaar dat Tom met niemand door één deur kon, nog los van zijn gestalte.

'Dat zegt de rechtbank u toe, mevrouw.' Jerry bleef staan, ik keek naar haar om.

'U heeft nog iets, mevrouw?'

De wenkbrauwen van de rechter waren weer enigszins opgetrokken. Ik vroeg me onwillekeurig af of er in de rechtszaal een goede mimiek van je werd verwacht.

'Met uw welnemen, edelachtbare. Het betreft mijn gehaaste binnenkomst. Graag zou ik die verklaren. De parkeerplaats was bezet, omdat een grijze BMW twee plaatsen in beslag nam. Zodoende moest ik uitwijken naar een parkeerplaats enkele honderden meters van de rechtbank vandaan, edelachtbare.'

Er viel een haast onaangename stilte. Wie weet verbeeldde ik het me, maar het leek toch echt of het nu Tom was die ineenkromp. Al snel bleek waarom.

'Meneer de officier, is die blauwgrijze BMW niet van u?' vroeg de rechter, toen ze de stilte blijkbaar lang genoeg had vinden duren.

Meneer de officier kon niet anders dan het toegeven. Achter mij hoorde ik op de publieke tribune gedempt gelach. De rechter blikte streng in de richting van deze verstoring, negeerde verder de officier en richtte zich weer tot mijn vertrouwenspersoon.

'Uw verontschuldiging is aanvaard, mevrouw.'

'Dank u, edelachtbare.'

Ik kon alleen maar hopen dat dit niet de laatste veren zouden zijn. In ieder geval was het scheve begin weer recht gebreid.

'De rechtbank gaat over tot het eerste punt van de tenlastelegging.'

NEGENENTWINTIG

Een dief

Na deze aankondiging sloeg de rechter het dossier open en keek mij aan. 'U hoeft niet op vragen van de rechtbank te antwoorden als u dat niet kunt of wilt, meneer. En als u iets niet begrijpt, mag u om uitleg vragen.'

Ik knikte. 'Jawel, edelachtbare.'

'Goed. Punt een van de tenlastelegging. Meneer, ik lees hier in het dossier dat u beschikt over een behoorlijk inkomen, en u bent ook niet onbemiddeld. Toch maakte u zich schuldig aan het stelen van brandhout of deed u een poging daartoe, ten nadele van Staatsbosbeheer. Dit, meneer, bevreemdt de rechtbank in hoge mate.'

De rechter zweeg en keek me fronsend aan.

'Inderdaad,' antwoordde ik. 'Edelachtbare, ik bevond mij op die plaats met de bedoeling dat hout mee te nemen. De rechtbank noemt het stelen, ik ding er niet op af.'

'Meneer, de rechtbank is van mening dat dit geen eenduidig antwoord is op het gestelde. Als gezegd bevreemdt het gebeurde de rechtbank. Kunt u uw motief om u dat hout toe te eigenen verklaren, meneer?'

Het spookte door mijn brein. Moest ik gaan vertellen dat ik hout stal om aan een drang toe te geven? Mijn hele leven lang heb ik gelogen en bedrogen om op normale wijze mijn brood te kunnen verdienen, om niet in zoiets als een gekkenhuis te worden weggestopt. En nu zou ik om dat beetje hout met het water voor de dokter moeten komen? En zou ik daarmee niet speculeren op het medelijden van de rechtbank en het creëren van een verzachtende omstandigheid, wat niet mijn bedoeling was? Ik was gesnapt, en bereid daar een boete voor te betalen of een werkstraf te doen.

De rechter hield haar blik op me gericht, in afwachting van uitsluitsel mijnerzijds, dan wel de mededeling dat ik geen antwoord kon of wilde geven. In dat laatste geval zouden diefstal of een poging daartoe gewoon blijven staan, en was de kans groot dat ik de volle mep zou krijgen.

Ik moest iets zeggen.

'Edelachtbare, ik was bezig dat hout te stelen. Ik aanvaard de consequentie van mijn handelen en wacht af welke straf de rechtbank voor mij in petto heeft. Wel wil ik erbij zeggen, edelachtbare, dat dit niet is bedoeld om de rechtbank te provoceren. Ik aanvaard de gevolgen, edelachtbare.'

De rechter wendde zich tot de officier.

'Meneer de officier, heeft u nog op- of aanmerkingen inzake het eerste punt van de tenlastelegging?'

De officier stond op en zei deze niet te hebben.

'Mevrouw de advocaat, heeft u iets op te merken, zijn er voor u wellicht onduidelijkheden?'

Ook mijn raadsvrouwe stond op en zei geen op- of aanmerkingen te hebben, maar vroeg van de rechtbank toestemming haar cliënt, mij, een mededeling te doen die alleen voor mijn oren bestemd was.

De rechter knikte. 'Goed, mevrouw, het is weinig gebruikelijk, maar ik heb geen bezwaar.'

'Dank u, edelachtbare.'

Ze kwam naar me toe en fluisterde zo dicht bij mijn oor dat haar haar mij kietelde: 'Probeer wat minder bruusk voor de dag te komen. U jaagt de rechtbank onnodig tegen u in het harnas. Nauwgezet is prima, maar overdrijf het niet.'

Daarna bedankte ze de rechter en ging terug naar haar plaats rechts achter mij. Ik hoorde haar dossier ritselen.

Punt twee van de tenlastelegging werd aangekondigd, en ik zuchtte inwendig van opluchting. Er was me niet gevraagd of dat stelen van hout wel meer gebeurde. Tijdens het verhoor had ik op de betreffende vraag geen antwoord gegeven. Of de vraag in het dossier stond, wist ik niet. En evenmin of Jerry het antwoord erop wist. Er bestond geen aangifte van diefstal tegen mij of enige andere aanwijzing, dus er was geen reden voor de rechtbank om aan te nemen dat het zo zou zijn. Het leek er even op dat ik hier aan de dans was ontsnapt.

DERTIG

Een smokkelaar

'Het in het bezit hebben van verboden wapenen,' benoemde de rechter het tweede punt, terwijl ze mij aankeek op haar open, neutrale wijze. Weer vroeg ik me af of dit gebruikelijk was in de rechtszaal, dan wel haar eigen manier om met mensen om te gaan. Op mij had het in ieder geval een geruststellende uitwerking.

'Heeft u altijd een wapen bij u, meneer?'

'Nee, edelachtbare, waarom zou ik?'

'Uw antwoord, meneer, is niet eenduidig.'

'Mijn verontschuldiging, edelachtbare. Ik heb niet altijd een wapen bij me.'

'Verwachtte u problemen, meneer, die het gebruik van een wapen, in uw optiek, zouden rechtvaardigen?'

'Mag ik opmerken, edelachtbare, dat ik deze vraag tamelijk tendentieus vind?'

'Meneer, u hoeft niet te antwoorden.'

Verwachtte ik problemen? Wat een rotvraag. Hiermee zat ik eigenlijk al voor het blok. Ook mijn aarzeling te antwoorden kon verkeerd worden uitgelegd. Een 'ja' zou worden uitgelegd als 'voornemen het te gebruiken', ontkennen was weinig betrouwbaar, want riep de vraag op waarom ik het dan had meegenomen.

'Eeh... nee niet echt, edelachtbare.'

'U aarzelt, meneer.'

Verdomme, ze zat me wel erg op de huid. Ze maakte niet alleen Tom in, ook mij haalde ze door de gehaktmolen.

'Bent u wel eens in de problemen geweest, meneer, op zo'n manier dat de beschikking over een wapen u daaruit kon helpen?'

Zo, die was slim. 'Jawel, edelachtbare. Inderdaad heeft zich zo'n situatie wel eens voorgedaan.'

'Meneer, mag de rechtbank daar iets over vernemen?'

'Jawel, edelachtbare. Maar om te beginnen merk ik op dat het niet in eigen land plaatsvond.'

'Waar dan wel, meneer?'

'In Zuid-Amerika, edelachtbare. Om precies te zijn in Sucre, een redelijk grote stad in Bolivia.'

'Wilt u de gebeurtenis nader toelichten meneer? Met dezelfde restrictie: u hoeft niet te antwoorden.'

Opnieuw vroeg ik me af of het niet-beantwoorden van een vraag in het nadeel van de verdachte kon werken. Maar zoiets kun je niet even bij de rechter navragen. Jerry daarentegen zou het weten, haar kon ik het vragen. Maar ik deed het niet.

'Ik beantwoord uw vraag, edelachtbare. Wij, mijn reisgenoten en ik, zouden ergens op het Plaza de Armas gezamenlijk gaan eten, maar er stond niks op de kaart waar ik zin in had. Dus, edelachtbare, verliet ik mijn gezelschap teneinde elders een eethuis te zoeken dat wel aan mijn wensen kon voldoen. En, moet ik erbij zeggen, om wat rond te dwalen. Nadat ik ergens iets te eten had gevonden zwierf ik dus in mijn eentje door Sucre.'

'Uw gids of reisbegeleiding waarschuwde u niet?'

'Jawel, edelachtbare. Maar ik kan soms wat eigenwijs zijn en ik ging toch.'

'Wat gebeurde er toen, meneer?'

'Edelachtbare, de aanleiding was onder meer mijn kleding, en de sociale instelling van een deel van de inwoners van de stad ten opzichte hiervan.'

'Was die kleding zo extravagant, meneer?'

Het ging niet helemaal de goede kant op, maar dat was vooral mijn mening.

'Wel, edelachtbare, uit wat er gebeurde begreep ik dat mijn korte broek, sokken en schipperstrui, deze, die ik had open hangen, voor sommige inwoners van de stad een signaal waren dat ik in was voor erotiek en in het bijzonder het bedrijven van de liefde met mannen.'

'Over hoeveel mannen heeft u het dan, meneer?'

'Drie, edelachtbare. Alle drie vrij jong. Twintig jaar, misschien iets ouder. Misschien waren ze op wat dollars uit. Maar toen een van hen me bij mijn rechterbovenarm greep, explodeerde ik.'

'Wat was de uitwerking van die explosie, meneer?'

'Dat de getroffene tegen een kerkmuur aan stond te jammeren, edelachtbare.'

'En die andere twee, meneer?'

Ineens begreep ik dat zij met deze vragen wel degelijk een doel had, zoals met alles. Een doel dat niet bepaald in mijn voordeel zou uitpakken.

'Die andere twee waren al weg, edelachtbare.'

'Gebruikte u een wapen, meneer?'

'Nee, edelachtbare. Dit keer handelde ik het met mijn bergschoen af. Maar de getroffen plaats is bij een man nogal gevoelig.'

'Helder. Dank u, meneer. En heeft u zich naar aanleiding van dit voorval van een wapen voorzien, of had u dat al in uw bezit?'

Daar ging ze, recht op haar doel af.

'Nee, edelachtbare. Het enige wapen dat ik in mijn bezit had, was de grote Mag-Lite, dat nu bij de bewijsstukken zit.'

Ze haalde het exemplaar tevoorschijn en bekeek het, terwijl het veilig weggestopt bleef in een plastic tas ter voorkoming dat er vingerafdrukken zouden worden verdoezeld. Er hing een kaartje aan met een nummer erop. Na enkele seconden legde ze het weer neer en vervolgde: 'Wanneer heeft u dan uw wapen gekocht, meneer?'

'Dat wapen, edelachtbare, kocht ik in de volgende grote stad die we bezochten. In Cochabamba, ongeveer 450 kilometer verderop, edelachtbare.'

'En dat is dit wapen, meneer?'

Ze hield nu een andere zak omhoog. Daarin glinsterde het mes door het plastic heen. Mijn mes. Hoewel, niet meer waarschijnlijk. Illegaal wapenbezit. Ik zag Tom er al kaas mee snijden. Opletten, broer, blijf bij de les.

'Jawel, edelachtbare, dat is dat mes.'

'Dank u, meneer. En was het op die avond, op kerstavond laatstleden, de eerste keer dat u het mes gebruikte, meneer?'

Daar was hij dan, de vraag met de dubbele bodem. Die andere vragen waren slechts bedoeld om mij gaar te stoven. Ik had waardering voor het elan waarmee ze haar beroep uitoefende. Maar hier kon ik makkelijk antwoord op geven.

'Jawel, edelachtbare, het was de eerste keer.'

'Is dit wapen altijd zo scherp geweest, meneer?'

Die was al lastiger.

'Nee, edelachtbare, het wapen was nieuw zo goed als bot. Ik heb het zelf scherp gemaakt, edelachtbare.'

'Met succes, zo te zien,' kwam er droogjes uit.

'Dat klopt, edelachtbare, met succes.' Wat kon ik anders zeggen.

'Bent u, meneer, in Zuid-Amerika in problemen verzeild geraakt die het gebruik van een wapen, in uw optiek, rechtvaardigden?'

Hier liet de rechter toch een behoorlijke steek vallen. Ik had de rechter al gezegd dat die kerstavond de eerste keer was dat ik het mes gebruikte, en toch stelde ze deze vraag. Ik hoopte maar dat Jerry het meekreeg. Of was het een strikvraag? Hoe dan ook kon ik opnieuw gerust antwoorden.

'Er waren op die reis een paar problemen die te maken hadden met mijn veiligheid. Maar die heb ik zonder het gebruik van dit wapen kunnen oplossen.'

Als ze goed oplette, kon ze uit het antwoord twee dingen opmaken. Ten eerste had ze zich kunnen realiseren dat ze de vraag in een andere vorm al gesteld had. Ten tweede kon ze mij nu vragen of er misschien sprake was van meer wapens, al dan niet in mijn bezit.

'Hoe heeft u dit wapen meegebracht, meneer?' Het kan verbeelding zijn, maar ik meende dat ze nadruk legde op het woordje 'dit'.

'Edelachtbare, dat is een zuiver technische aangelegenheid. Mag ik u daarop het antwoord schuldig blijven?'

'Zo u wilt, meneer.'

'Dank u, edelachtbare.'

De rechter keek even voor zich uit, vouwde toen een ezelsoor aan een dossierblad en keek me weer aan. 'Meneer, de rechtbank weet voldoende. Dank u wel.'

Ik knikte. Deel twee was afgesloten. Dat betekende dat nu het moeilijkste gedeelte kwam, en helaas kreeg ik daarbij gezelschap van een flinke en zeer onwelkome gast: de migraine, die langzaam maar trefzeker kwam opzetten. Het begon te boren achter mijn oog, alsof de pijn mij voor wilde doen hoe ik straks uit mijn cel zou kunnen breken. Eigen schuld, zei ik tegen mezelf.

Ook de rechtbank maakte zich op om het laatste punt van de tenlastelegging op tafel te leggen, tenzij er vragen waren. Die waren er niet. Tom wreef zich in de handen. Mijn raadsvrouwe liet me weten dat ik nu weer te ver naar de vriendelijke kant was doorgeslagen, iets over een strooppot.

De bode schoof het gordijn weer open. Het laatste beetje

zon dat er was scheen in mijn ogen. Het kwam de hoofdpijn niet ten goede.

EENENDERTIG

Een moordenaar?

De rechter verlegde haar dossier en gaf er een klopje op. Met dit gebaar leek ze te willen zeggen: Nu komt het. Haar doordringende blik zei hetzelfde. 'Meneer, het derde en laatste punt van de tenlastelegging is nu aan de orde.' Ze legde een kleine nadruk op het nu. Ik zag hoe Tom en de griffier nauwlettend toekeken. Jerry, achter mij, kon ik niet zien.

'Meneer, mag de rechtbank vernemen wat er die avond voor Kerstmis passeerde? Zo mogelijk alles, meneer. Het hele verhaal. Met de bekende restrictie dat u het recht heeft feiten weg te laten als u van mening bent dat ze uw belang kunnen schaden.'

De beklemtoning van *hele* was te duidelijk om te kunnen negeren. Zou ze iets vermoeden?

Ik vertelde, met een blik richting Tom, hoe ik om circa half elf die avond op de fiets naar de p.d. was gereden; de plek waar ik het hout wilde gaan halen. De rechter trok haar wenkbrauwen even lichtjes op, maar zweeg. Ik vervolgde het verhaal, van het verstoppen van mijn fiets tot de komst van ambulance en politie. Ik dreunde het braaf op en zou vanzelf wel merken welke vragen er kwamen. Beperken tot de feiten, dat was de strategie.

De rechter begon met een opmerking die ik niet verwacht had, niet van haar althans: 'Een mens zwaar gewond om een stukje afvalhout.' Ik twijfelde zelfs of een dergelijke subjectieve opmerking wel door de rechter mocht worden gemaakt, maar dat liet ik aan Jerry over. Daarna ging de rechtbank verder: 'U zei dat de man en de vrouw in een pick-up kwamen aanrijden, en dat dit niets hoefde te betekenen. Licht u dit even toe, als u wilt, meneer.'

Haar stem klonk nu zonder meer gereserveerd.

Ik legde uit dat een bestuurder die geen kwaad in de zin had, op die plek niemand zou verwachten, zodat er niks aan de hand zou zijn als ik als houtsteler snel weg zou duiken.

'Het klinkt alsof u met een dergelijke situatie bekend bent, meneer,' was de reactie van de rechter.

Ik voelde mijn gelaat kleuren. Dat was geen goede zet geweest. En hij was evenmin ongedaan te maken.

Even was het stil. Buiten leek de zon me opnieuw te willen toeseinen wat ik straks moest missen, en tegelijkertijd een poging te doen het gebons in mijn hoofd te versterken. Met succes.

'De rechtbank' nam het woord weer: 'Hebt u wel eens in die situatie verkeerd, meneer?'

Ik zweeg. Het was doodstil in de zaal. Beklemmend stil. Ik was voor het blok gezet, en antwoordde ten slotte traag: 'Jawel, edelachtbare, ik heb wel eens in die situatie verkeerd.'

Ze knikte. 'Juist ja.' De griffier was druk. Wat zou mijn raadsvrouwe nu denken? Net als ik dat ik de boel aan het verzieken was?

De rechtbank vroeg of zei weer iets, maar ik was er niet helemaal bij en moest vragen het gezegde of gevraagde te herhalen. Opnieuw een slechte zet. Opletten nu, broertje.

'Meneer, al eerder sprak ik over uw riante inkomen en het vermogen waarover u beschikt. Toch gaat u naar het bos en eigent zich eigendommen van een ander toe.'

Er restte mij weinig anders dan opening van zaken te geven. Nog trager dan daarvoor antwoordde ik daarom: 'Ik moest mijn plicht doen, edelachtbare.'

'Uw plicht doen?'

De wenkbrauwen van de rechter schoten hemelwaarts. 'Ook dat meneer, mag u nader toelichten.'

Hou het kort, schoot door me heen. Maar wees duidelijk.

'Edelachtbare, als kind werd ik door mijn ouders gedwongen hout te gaan halen uit het bos, omdat er geen brandstof meer te koop was.'

'Over welke tijd spreekt u dan, meneer?'

'Sorry edelachtbare, over de oorlog.'

'Aha, de oorlog. Die is al heel lang voorbij, meneer.'

In sobere bewoordingen legde ik de rechtbank uit dat voor sommige mensen de oorlog nooit eindigde. En dat in de periode waarin de mens het meest ontvankelijk is om te leren, namelijk de jaren voor de puberteit, ik in plaats van naar school te gaan of thuis onderwezen te worden door mijn vader, het bos in moest om hout te halen, om brandstof en voedsel te verzorgen voor het hele gezin, terwijl mijn broers en zussen wel het voorrecht genoten te mogen leren. Nooit werd me gevraagd hoe ik aan mijn buit kwam, en nooit kreeg ik de gelegenheid het te vertellen. Pas na de oorlog kreeg ik door wat voor spel er gespeeld werd. 'Al was er eerder al wel een aanwijzing, edelachtbare.'

Ze vroeg me die toe te lichten, en ik vertelde over mijn zittenblijven in de vijfde klas en de oorzaak ervan. Dat doubleren in die tijd een teken van onvermogen was, en voor de zoon van het schoolhoofd ronduit een schande.

De rechter raadpleegde het dossier, waarin te lezen was dat de meester werd gepasseerd bij de benoeming van het hoofd van de Aloisiusschool.

'Dus,' vatte ze samen, 'volgens u koesterde deze meester een rancune tegenover uw vader die hij ten koste van u verhaalde.'

'Dat klopt, edelachtbare. Mijn broers hoorde ik nooit over hem, maar ik was gevoelig voor zijn sarcasme. Toen ik een klasgenoot aan een goed cijfer voor hoofdrekenen hielp, greep hij zijn kans om mij te laten doubleren en mijn vader een hak te zetten.'

'De leerling die door u bevoordeeld werd, is die ook blijven zitten?'

'Nee,' zei ik. 'Dat was Frans. Frans is naar de zesde gegaan.'

De rechter zei dat het duidelijk was, maar wilde nu weten wat dit alles te maken had met punt drie van de tenlastelegging. Ik lichtte toe dat mijn ouders hadden geconcludeerd dat als mijn leerresultaten niet voldoende opleverden, ik net zo goed het bos in kon gaan om voor hout en voedsel te zorgen.

'En dat ging u wél goed af?' vroeg ze. Het klonk een beetje ironisch, maar ik bevestigde droog.

'En hoelang ging u daarmee door of vonden uw ouders het nodig dat u voor voedsel en hout zorgde?'

'Ongeveer een maand of drie, vier na de bevrijding was het niet meer nodig, edelachtbare. Ik was toen ook niet meer in de gelegenheid omdat ik naar een internaat voor moeilijk lerenden ging, waarvan ik later ontdekte dat het een internaat was voor kinderen die ze thuis liever kwijt dan rijk waren.'

Tegen mijn verwachting in ging de rechter er nog wat dieper op in. 'Hoelang hebt u op dat internaat gezeten?'

'Na vier semesters moest ik eraf omdat mijn vader stierf en het geld nodig was voor de opleiding van een van mijn broers. Terwijl ik al na één semester thuis op mijn knieën smeekte er weg te mogen. Ik had de mogelijkheid om in een naburig stadje de opleiding af te maken, maar kreeg alleen te horen dat ik erheen moest omdat vader het wilde. Op de koop toe kreeg ik een standje over mijn gedrag en mijn sociale reilen en zeilen op het internaat. Toen vader doodging, was het blijkbaar niet meer nodig dat ik daar zat.'

Ik was nu op gang en vertelde ook nog dat ik er later achter kwam dat op het internaat in vier semesters werd onderwezen wat elders in drie kon, en dat het onderwijs er onder de maat was.

'En wat schortte er op het internaat aan uw gedrag, meneer?' wilde de rechter weten. Niets ontging haar. Wel werd ik er opnieuw aan herinnerd niet te hoeven antwoorden. Al die formaliteiten begonnen me mijn neus uit te komen.

Maar ik antwoordde, en lichtte toe dat ik ongeschikt was voor een internaat. 'Ik kan heel goed zelf bezig zijn en zelfstandig mijn werk doen, edelachtbare, maar groepsbezigheden zijn mij een gruwel.'

Ook hier wilde de rechter weten hoe het verhaal te rijmen was met wat hier aan de orde was. 'Wij leven ruim vijftig jaar later,' voegde ze eraan toe, wat ik opnieuw suggestief vond.

Dus vertelde ik nog meer, namelijk over hoe ik na het internaat langzaam afgleed toen tot me doordrong wat er gebeurd was. Hoe ik eerst depressief werd en toen last kreeg van angstpsychoses. En hoe ik daarna in 1954 en 1955 ruim een jaar in een psychiatrische inrichting doorbracht, waar ik door indoctrinatie en medicatie leerde alles te vergeten. 'Verdringen, heet dat,' lichtte ik toe.

'En mag de rechtbank vernemen hoelang dat verdringen duurde, meneer?'

Maar ik bleef voor me uitkijken, met dat bekende gevoel. Een van mijn blokkades had zich doen gelden. Mijn spraak werkte niet langer mee. Toen ik na een paar seconden al merkte dat het echt niet meer ging, draaide ik me om naar mijn raadsvrouw, die ik ervan op de hoogte had gesteld dat dit kon gebeuren. Ze wees op mijn mond, ik knikte en ze lichtte de rechtbank in. Haar voorstel was om de zitting tot 's middags twee uur te schorsen.

De rechter stemde ermee in. 'Goed, de rechtbank schorst de zitting tot veertien uur precies.' Dat precies klonk mij wat snibbig in de oren. Alsof mijn spraak daar maar rekening mee te houden had.

Buiten scheen nog steeds de februarizon. De mooie klok wees tien voor twaalf en achter mij hoorde ik gestommel van de weinige belangstellenden. Mijn mededinger naar de poëzieprijs was nergens te bekennen.

Wat later, in het restaurant, vond ik hem terug. Hij raadde me aan een boek te schrijven. Ik kon niets terugzeggen. Hij stelde zich voor aan Jerry, die hem heel kort uitlegde wat er aan de hand was. Peter sloeg me op de schouder en zei: 'Sterkte, kerel.' Toen verdween hij. Het deed me goed dat hij er was, al was het alleen vanwege de nieuwswaarde van het hele verhaal.

TWEEËNDERTIG

De schorsing

Jerry wees op een broodje ham en een broodje kaas, ik wees naar de kaas. De zaak lieten we even rusten. We aten, dronken en keken rond. Ik haalde een migraineprikje uit mijn tas. Een kort moment sloot ik de ogen, voor alles. Vanuit de buik ademen, in rustig tempo. Het consigne van Bastiaans. Wachten, zo rustig mogelijk wachten en je afsluiten. Een vredige cocon maken en je daar even veilig voelen. De kleine vrouw naast me hielp door me met rust te laten. Totdat ik zomaar ineens zei: 'Het gaat niet goed, hè?'

Mijn stem was er weer. Het antwoord klonk al even onbevangen: 'Och, we hebben nog steeds geen grote brokken gemaakt.'

'En mijn verhaal dan? Ik ben als de dood voor het Pieter Baan of zoiets.'

Nu keek Jerry wel verwonderd. Met diep gefronste wenkbrauwen vroeg ze me: 'Het Pieter Baan?' Ik knikte. 'Om dat hout en het mes? Nee hoor, geen sprake van. De rechtbank is wel wat gewend. En de rechter is door de wol geverfd. Het Pieter Baan komt pas in aanmerking als uw verhaal bijvoorbeeld van geen kant zou kloppen. Dat deed het wel. Een triest, maar logisch verhaal.'

Ongevraagd haalde ze voor ons beiden nog een kop koffie, die we zwijgend opdronken. De migraine blies verongelijkt de aftocht, maar bleef alert. Inmiddels weet hij dat tegen die prik niet op te boksen valt.

Zo, in stilte, en ik weer wat gekalmeerd, wachtten we op de klok van twee, of, in de taal van de kopergloedige rechter: 'veertien uur precies'. Toen ik dit tegen Jerry herhaalde, grijnsde ze gelukkig.

DRIEËNDERTIG

De zitting wordt voortgezet

Met een verdelgende blik over zijn brillenglazen kondigt Tom op het genoemde tijdstip 'De rechtbank' weer aan. Mevrouw de rechter neemt plaats en het geroezemoes verstomt. Door mijn hoofd spookt de vraag of Tom zijn auto dit keer wel fatsoenlijk geparkeerd heeft. Ik zie hem ervoor aan het gewoon een tweede keer te doen. Als een moeilijk af te leren gewoonte, ieder heeft er wel minstens een. Die van de een is strafbaar, die van een ander niet (maar zou het wel moeten zijn).

Voor de vorm worden mijn antecedenten weer genoemd, waarna me wordt gevraagd of mijn stem weer functioneert. Ik antwoord bevestigend. Daarna valt de rechter met de deur in huis.

'Mag de rechter van u vernemen hoe bij u die verdringing werkte?'

Ze vergat het obligate 'meneer'.

'Edelachtbare, na het ontslag uit de Jelgersmakliniek besefte ik niet meer wat de oorzaak van mijn probleem was. Ik kreeg te horen dat ik medicijnen moest blijven slikken, wat ik braaf deed. Sommigen zijn daar hun leven lang op aangewezen. Maar ik taalde tenminste niet meer naar hout of houthakken. De oorlog leek iets uit een vorig leven, en van rancune was niet langer sprake. Alles wat met het vastlopen te maken had, werd in die kliniek ingekapseld. Met een beetje hulp van mijn sterke wil.

Ik leerde een aantal overlevingsstrategieën. Ik nam een aantal besluiten. Zoals: mij gebruiken ze niet meer, en: ik laat me niet meer in de hoek trappen. Bovendien bleek in de inrichting dat er niets mis was met mijn verstand, en zo werd ik in de gelegenheid gesteld te gaan werken en daarnaast te studeren. Ik haalde avond-hts elektro plus een aantal lerarenaktes. Ik vormde een gezin en alles was perfect geweest, als ik niet een stuk miste. Want ondanks de verdringing blijft ergens het besef dat het allemaal niet zo goed zit als het lijkt. Helaas herstelt de verdringing geen beschadigingen, of trauma's. Het helpt ze alleen te maskeren. Het is niet meer dan een overlevingstechniek.'

Ik stopte even en gluurde wat om me heen. Ik zag dat ik de aandacht had, en dat moedigde me aan mijn levensgeschiedenis nog verder in het openbaar uit de doeken te doen. Eerder leek het zo'n zware opgave dat ik mijn stem verloor, nu gaf het me juist een licht gevoel. Opluchting, misschien.

'Ook werk zorgde voor afleiding,' ging ik dus verder. 'Eerst als elektrotechnicus, later als leraar verwierf ik dat riante inkomen, zoals de officier het heeft genoemd, en het kleine vermogen waarover ik beschikken kan.

Maar op een zekere leeftijd, edelachtbare, begon het verdrongene weer op te spelen. Alsof het zei: Zo is het mooi geweest, de toneelvoorstelling is ten einde. Het doek viel niet in één keer, maar langzaam kwam ik erachter dat de weerstand tegen de verdrongen gebeurtenissen afnam, en dat het trauma zijn rechten hernam. Het recht een leven te beheersen en overheersen, een leven te verzieken.

Zo kwam ik in de jaren tachtig in contact met professor Bastiaans, de concentratiekampspecialist. In de laatste jaren van zijn werkzame leven nam hij ook andere patiënten in behandeling, waar ik er een van was. Zijn filosofie en streven was om weer terug te gaan naar de toestand van voor het trauma. Daartoe had hij enkele therapiesoorten tot zijn beschikking. Zijn voornaamste doel: verwerken. Dat kon, volgens hem, bereikt worden door opnieuw kennis te nemen van alles wat er gebeurd was, het desnoods allemaal opnieuw te beleven, en er dan door herhaling vertrouwd mee te raken. Het trauma zou op die manier zijn zeggingskracht verliezen, de patiënt zou er minder of geen problemen meer mee hebben.

Voor deze vorm is er echter één vereiste. Er moet kunnen worden teruggevallen op een periode zonder trauma. En dat is niet bij iedereen mogelijk. Als het trauma is ontstaan door een verkeersongeval, dan kan dat heel goed. Zelfs het verblijf in een kamp of een gijzeldrama hoeft niet per se de ondergang van een individu te betekenen, als er daarvoor maar sprake was van een redelijk normale toestand.

Bij kinderen ligt dat uiteraard heel anders. Kinderen die altijd mishandeld zijn of bijvoorbeeld in een kamp werden geboren, kunnen het, populair gezegd, wel schudden. Ze zijn levenslang op medicatie en begeleiding aangewezen, in alle mogelijke gradaties.

Ook in mijn geval, edelachtbare, had de professor weinig om op terug te vallen.

Toch heeft hij me geholpen. Eerst waren angst, psychoses en depressies aan de orde van de dag. Dankzij zijn behandeling kwam ik erachter dat ik door zo af en toe mijn "plicht" te doen, mijn leven weer min of meer leefbaar kon maken. En zo kwam het, edelachtbare, dat ik op kerstavond hout aan het stelen was.'

Het bleef even stil en ik maakte van de gelegenheid gebruik om nog één ding toe te voegen; 'Ten slotte wil ik benadrukken dat ik niet uit ben op medelijden van de rechtbank.

Ik wilde het hout stelen en ik gooide het mes. Voor beide daden neem ik de volle verantwoordelijkheid.'

Ineens voelde het toen alsof ik in elkaar kromp, en ik vreesde een nieuwe blokkade. Ik haalde diep adem en wenste dat iemand het woord zou nemen, maar dat gebeurde niet. Na wat voor mij een lange tijd leek, maar in werkelijkheid hooguit enkele minuten zullen zijn geweest, lukte het me te vervolgen met: 'Edelachtbare, ik gooide dat mes nadat mijn belager met de aks hoog geheven een volgende stap in mijn richting zette, en ik achterwaarts met de rug tegen een dunne beuk aan liep.'

'En, meneer, kon u niet weglopen om uw huid te redden?'

Weer was ik even stil, terwijl ik nadacht over de vraag, en wat het meest correcte antwoord erop was.

'Al had ik mij een weg door de struiken en het kreupelhout weten te banen,' zei ik toen, 'al was ik met andere woorden gevlucht, dan nog zou de schade voor mij veel groter zijn dan als ik nu tot een celstraf veroordeeld word. Daarnaast, edelachtbare, wist ik niet zeker of de belager me ervandoor had laten gaan. Ik betreur het dat ik de man met het mes heb geraakt, maar naar mijn weten kon ik geen enkele kant op.'

Ondertussen hoopte ik dat het sporenonderzoek zou hebben aangetoond dat de aks inderdaad geheven was. Als het scherpe deel de bosbodem had geraakt toen hij viel, moet uit de valhoek zijn af te leiden hoe hij was vastgehouden. Alleen had de vrouw geprobeerd om de sporen te wissen.

Deze vrouw werd nu op verzoek van de rechter door de bode de zaal binnengeleid. Ze nam plaats in het getuigenbankje, en ontkende. Ze ontkende op verzoek van haar man de aks uit de auto gepakt te hebben. Ze waren daar om de hond uit te laten, de hond die nooit gevonden werd. De hond zonder naam, die niet reageerde op gefluit.

De rechter hield met enige moeite de zware bijl omhoog. 'Mevrouw, gebruikt u deze aks wel eens?'

‘Nee, edelachtbare, dat deed mijn man alleen. Zelf ben ik er niet sterk genoeg voor.’

‘En als ik u goed begrijp, mevrouw, heeft u de aks op kerstavond niet in uw handen gehad?’

‘Nee, edelachtbare.’

‘Mevrouw, het sporenonderzoek gewaagt van twee soorten vingerafdrukken, beide zeer recent. Vingerafdrukken van u, mevrouw, en die van uw man. Kunt u de rechtbank daar wellicht een verklaring voor geven?’

De vrouw zweeg.

‘Dank u, mevrouw. De rechtbank weet voldoende. U kunt weer gaan.’

Door de bode werd de getuige weer naar buiten geleid. Weer was de stilte enige momenten heer en meester in de rechtszaal. Buiten was het nog steeds uitbundig.

VIERENDERTIG

Tom in actie

Met een vermoeid gebaar streek de rechter door haar mooi gekleurde haar, wat haar coupe een beetje in de war bracht. 'Meneer,' richtte ze zich onbewust hiervan tot mij, 'heeft u nog iets aan punt drie van de tenlastelegging toe te voegen, nader toe te lichten of heeft u wellicht nog een vraag?'

Ik wilde opnieuw benadrukken dat ik mijn verhaal niet vertelde omdat ik uit was op clementie, dat ik bereid was de consequenties te aanvaarden. Ik was de rechter oprecht dankbaar dat ze me de gelegenheid had geboden mijn zegje te doen, dat er naar me geluisterd was, en wilde geen misbruik maken van die gelegenheid. Maar ik dacht aan de woorden van mijn raadsvrouwe, en antwoordde de rechter ontkennend.

Nu richtte ze zich tot de officier. 'Meneer de officier, heeft u nog iets op te merken, te vragen of toe te voegen?'

De officier antwoordde eveneens ontkennend, net als mijn raadsvrouwe, de laatste tot wie de rechter zich wendde. 'Nee, edelachtbare,' zei ook zij. En ze voegde toe: 'Mijn cliënt heeft alle facetten duidelijk belicht en heeft kenbaar gemaakt dat hij op de punten van de tenlastelegging niet wil afdingen. Over dat laatste punt ben ik het niet met hem eens, maar dat zal in mijn pleidooi aan de orde komen. Dank u wel, edelachtbare.'

Voor het eerst hoorde ik een nerveus kuchje, of het moest me eerder zijn ontgaan.

'Dan is de officier toe aan zijn requisitoir,' zei de rechter. 'Meneer de officier, mag ik u verzoeken?'

'Dank u, edelachtbare.' Tom verrees. Daar stond hij dan, als één blok macht, dat mij, houtluis, wel eens even zou vermorzelen.

'Edelachtbare, de verdachte maakte zich schuldig aan diefstal. Hij heeft verteld hoe hij het hout gereed maakte om mee te nemen, en zijn bekentenis maakt duidelijk dat dit allerminst de eerste keer was dat hij dit deed. Zijn acties zijn niet alleen in het nadeel van Staatsbosbeheer, maar raken de hele gemeenschap. Als de verdachte een bijstandsuitkering genoot zou ik er nog enig begrip voor kunnen opbrengen, hoewel het ook in dat geval een misdaad bleef. Maar nee, edelachtbare, de verdachte is in goeden doen, en hij besloot er ook nog eens uitgerekend op kerstavond op uit te trekken. Waarschijnlijk vanuit de gedachte dat er op deze avond minder dak op het huis zou zijn, zodat hij zijn kans kon grijpen.

Edelachtbare, het Openbaar Ministerie heeft de eer voor dit feit zeshonderd gulden boete te eisen, waarvan driehonderd gulden voorwaardelijk. Dat laatste omdat het openbaar ministerie ervan overtuigd is dat dit niet de laatste keer is dat de verdachte zich hieraan schuldig maakt. Edelachtbare, tot zover punt een van de tenlastelegging.'

Mij ontsnapte een diepe zucht, onbedoeld waarschijnlijk voor de hele zaal hoorbaar. Hij was goed op dreef, die Tom. Zou Peter nog ergens zitten? Wat zou hij ervan maken? Achter mijn oog begon het weer te boren.

'Dan het tweede punt van de tenlastelegging, edelachtbare. Wapenbezit. Het loopt de spuigaten uit tegenwoordig. Jan Rap en zijn maat zwaaien lukraak met steek- en schietwapens, alsof ze niets kosten en niet levensgevaarlijk zijn. Niks van waar, edelachtbare. De herkomst van het wapen wilde de verdachte niet uit de doeken doen, daar zal hij ongetwijfeld zijn redenen voor hebben. Bovendien heeft hij het mes uit eigen initiatief nog gevaarlijker gemaakt dan het al was door het met vakmanschap vlijmscherp te maken. Uit het relaas van de verdachte maakt het openbaar ministerie verder op dat hij gewend is zijn handen, voeten en zijn lantaarn als knots te gebruiken. Geweld, edelachtbare, zo mogen wij in het algemeen concluderen, is de verdachte niet vreemd.

Op dit punt hoopt het openbaar ministerie een voorbeeld te mogen stellen, en zodoende vordert het OM een boete van tweeduizend gulden, waarvan duizend gulden voorwaardelijk, plus de vernietiging van dit dodelijke wapen.'

Hij liet een stilte vallen en schraapte zijn keel. Zijn manier waarschijnlijk om de ernst van wat komen ging te benadrukken.

'Dan komen we bij het derde en ernstigste delict waaraan de verdachte zich schuldig maakte, namelijk het plegen van wat een aanslag op een leven mag worden genoemd.'

Ik weet niet wat anderen hiervan vonden, maar mij zakte de bek op de kraag. Zelfs al had Jerry voorspeld dat hij weinig consideratie met me zou hebben. Of was ik dat zelf geweest? Hoe dan ook, dat leek nu nog maar zacht uitgedrukt. Tom daverde door, op zijn tank-eigen wijze. 'De verdachte geeft aan dat hij meende in het nauw te zijn gedreven en geen andere mogelijkheid zag dan zijn vlijmscherpe steekwapen met een haast dodelijke precisie naar de hals van zijn slachtoffer te werpen. Het mag een wonder heten dat het slachtoffer deze aanslag op zijn leven heeft overleefd. Voor dit hoogst ernstige feit vorder ik dan ook,' hij verried nu vanuit zichzelf te spreken, alsof hij zich deze zaak hoogstpersoonlijk aantrok, 'achttien maanden cel. Het Openbaar Ministerie ziet geen enkele mogelijkheid de verdachte voor verzachtende omstandigheden in aanmerking te laten komen. Dat was het, edelachtbare.'

'Dank u wel, meneer de officier.'

Tom ging weer zitten, en ik meende een vergenoegde trek op zijn gezicht te bespeuren. Weer viel de stilte me op. Zelfs de zon was nu verdwenen, de mooie klok glansde niet langer. Wel gaf hij de tijd nog aan. Als de rechtbank de zitting niet verdaagde, werd het een latertje. Jerry moest nog aan bod komen. En ik vroeg me wat angstig af of zij deze goedgebekte tank voldoende tegengas zou kunnen geven.

Tom zakte achterover en wreef zich eens goed in de handen. Zo te zien was hij nogal tevreden over zijn optreden van zojuist.

De rechter daarentegen leek me geïrriteerd, al mocht zoiets uiteraard niet blijken.

'Dit is het, meneer de officier?' Tom schoot recht. 'Jawel, edelachtbare.' De nogmaals uitgesproken dank in zijn richting klonk onderkoeld. Nu richtte de rechter het woord weer tot mij.

'Meneer, heeft u de eisen van de officier gehoord en begrepen?'

Ik antwoordde dat de officier zeer duidelijk was en zijn eisen goed te begrijpen waren. Ik was niet zozeer onder de indruk van zijn retorische kwaliteiten, maar vooral geraakt door het totale onbegrip dat uit het relaas gebleken was. Opnieuw vertel ik mezelf dat ik tenminste niets te klagen heb over het slappe optreden van justitie.

De lampen in de rechtszaal waren zonder dat ik het gemerkt had aangegaan, buiten schemerde het nu. De rechter wendde zich tot mijn raadsvrouwe. 'Mevrouw, wat wenst u, uw pleidooi nu houden, of de zitting verdagen?'

'Edelachtbare, mag ik die beslissing aan de rechtbank overlaten? Dank u wel dat u mij de keus liet.'

Ze knikte. 'Meneer, en u, wat wenst u?'

'Edelachtbare, ook ik laat de beslissing graag over aan de rechtbank.'

Achteraf bleek dat ik volgens etiquette had geantwoord. De rechter moest de vraag stellen, maar de belanghebbenden moesten de beslissing om al dan niet te verdagen op hun beurt aan de rechter laten. Deze zuchtte nu duidelijk zichtbaar. Ik begreep haar wel. Het leek me al met al best zwaar werk, dat ze had.

'Mevrouw, mag ik u verzoeken?'

Mijn hart begon te bonzen, de vlammen sloegen me uit. Niet vanwege de centen. Ook niet vanwege het pleidooi van de officier. Maar om het besef dat het vonnis naderde. Het moment van de waarheid. Was ik schuldig, of niet? Het was een vraag die me van jongs af aan, toen ik voor het eerst een dief was genoemd, op mijn dertiende, had beziggehouden. Eindelijk zou ik nu antwoord krijgen. Bijna. De consequenties zou ik de rest van mijn leven dragen.

Schuin achter mij hoorde ik licht geritsel van papier en een stoel die iets verschoof. In mijn hoofd werd het boren agressiever.

VIJFENDERTIG

Jerry komt uit haar holletje

'Edelachtbare,' klonk het zacht, maar duidelijk verstaanbaar. 'Mag ik u meenemen, terug in de tijd? Om precies te zijn: paaszaterdag 1945. Mijn cliënt was veertien jaar. Zijn taak voor die paaszaterdag stond vast, en week weinig af van zijn taken op andere dagen: melk halen. In de week voor Pasen was hij al drie dagen op pad geweest om hout te stelen.

Het was druk op straat. Omdat het bijna Pasen was, en er dus in feite twee zondagen aan zaten te komen. Maar er speelde meer. Er hing iets in de lucht. Dat merkte mijn cliënt al snel, toen hij namelijk niet zijn gebruikelijke route kon nemen om melk te halen, maar genoodzaakt was een omweg te maken. De bezetter bleek op deze dag bezig om langs de Aaltensedijk, nu de Twenteroute geheten, verdedigingswerken aan te leggen. Het was díé zaterdag waarop mijn cliënt op pad ging om voor twee zondagen melk te halen.'

Ze pauzeerde kort, als om zich te verzekeren van doodse stilte.

'Voor de melk moest hij vier kilometer lopen, in de richting van Winterswijk. Zes liter melk. De lege flessen zaten in een tas en hij stond op het punt om weg te gaan, in opdracht van zijn ouders. Maar op weg naar buiten liep hij langs zijn vader, die zich in de keuken stond te scheren. Deze hield hem staande, en keek mijn cliënt in de ogen. Toen sprak hij de woorden: "Als jou onderweg iets overkomt, dan moet je er maar eens goed aan denken wat voor verdriet je je ouders hebt gedaan." Na deze woorden mocht de veertienjarige op stap, met de lege flessen.

Op het moment dat hij zijn opdracht uitvoerde, het halen van de melk, was de vierde Canadese pantserdivisie van Aalten en Winterswijk op weg naar Groenlo. Verder trok ook het Britse Derde Korps in noordelijke richting, om Groenlo op korte afstand te passeren. Maar van dit alles was de jongen op zijn tocht om de flessen te vullen zich niet bewust.

Wel ondervond hij onderweg naar zijn bestemming al snel dat de geallieerde jachtbommenwerpers bezig waren de weg van Groenlo naar Winterswijk schoon te vegen. Met mitrailleurs. Via de binnenwegen bereikte hij toch zijn doel en hij wilde via diezelfde paden ook weer naar huis. Zonder dat hij het wist bevond mijn cliënt zich op die terugweg tussen de oprukkende vierde Canadese pantserdivisie en het Derde Britse legerkorps. Boven zijn hoofd vlogen de jachtbommenwerpers op hun doelen af.

Op de weg terug werd hij uiteindelijk door bekenden geroepen en binnengehaald omdat het te gevaarlijk was om buiten te zijn. In de schuilkelder van deze mensen wachtte hij de afloop van de oorlogshandelingen af. Toen het weer rustig was, ging hij verder op weg naar huis.

Edelachtbare, tot op de dag van vandaag worstelt mijn cliënt met een aantal vragen aangaande de beschreven gebeurtenis. Antwoorden heeft hij nog altijd niet, en de antwoorden zullen ook niet gevonden worden. Zijn vader nam ze kort na de bevrijding mee naar het kerkhof.

Mijn cliënt kan dus slechts gissen. Wel zijn er een paar punten die het gebeuren in een wel heel bijzonder, haast sinister daglicht stellen. Deze zou ik u met uw goedkeuren graag willen voorleggen.'

De rechter luisterde aandachtig en knikte kort, maar, meende ik, belangstellend.

'Dank u wel. Om te beginnen was de vader van mijn cliënt negentien jaar lang hoofdofficier in het Nederlandse leger. Daarnaast sprak hij vloeiend Duits, hij was in het bezit van de zogenaamde mo-akte Duits, de hoogste onderwijsbevoegdheid na de universitaire. Ook voerde hij regelmatig gesprekken met de Ortskommandant, die in zijn huis ingekwartierd was en meestal officier bij de ss. De reden die hij voor die praatjes opvoerde was onder andere om zijn taalkennis up-to-date te houden. Verder las hij de voor die tijd toonaangevende krant *Die Deutsche Zeitung*, en meer nog luisterde hij naar Radio Oranje. Dit alles in ogenschouw genomen mogen we ervan uitgaan dat de vader van mijn cliënt op de hoogte was van wat er die dag dat hij zijn veertienjarige zoon op pad stuurde, gaande of komende was. Toch liet hij hem gaan.

Edelachtbare, ik beluisterde de geluidsbanden die door de traumatoloog, professor Bastiaans, zijn gemaakt. In die zogeheten dieptebehandelingen, waarvoor de patiënt eerst onder narcose wordt gebracht, bestaat er geen kans om de feiten te verdraaien of zelfs ronduit te liegen. Het verhaal dat ik u zojuist vertelde ken ik van deze banden. Het kan dus niet anders of het is de waarheid. Het is bovendien nog eens bevestigd door een van de medewerkers van de professor uit de tijd dat mijn cliënt bij hem in behandeling was. Met deze medewerker had ik een gesprek, evenals met een specialist van het Radboud-ziekenhuis. Daartoe kreeg ik van mijn client overigens slechts node toestemming.

Het beperkte gehoor en zicht en ook het optreden van onder meer die stemblokkades zijn te wijten aan fysiek geweld in de jeugd van de patiënt. Hij groeide op in de oorlog en zag zich mede daardoor genoodzaakt om zich een aantal overlevingstechnieken eigen te maken.

Edelachtbare, zo kan ik nog uren doorgaan. Maar ik wil het er nu op houden dat me tijdens het beluisteren van die banden de rillingen van afschuw over de rug liepen, afschuw over de gevolgen van een volkomen affectieloze jeugd en van de oorlog. Mijn cliënt heeft daar maar mee te leven. Toch heeft hij dit alles niet willen gebruiken om ergens onderuit te komen, hij ziet zijn handelen als zijn eigen verantwoordelijkheid. Hij heeft dat hout willen stelen, hij heeft dat mes in zijn bezit gehad en hij heeft die fatale worp gedaan, maar niet eerder dan dat de man met zijn geheven aks hem tot onaanvaardbare afstand genaderd was. Van mijn cliënt kon en mocht niet verwacht worden dat hij dit slechts als dreigen zou interpreteren. Hij voelde zich terecht met de dood bedreigd, en daar handelde hij naar. Met het geschetste fatale gevolg, hetgeen hij betreurt.

Ten slotte wil ik nog benadrukken, edelachtbare, dat de vrouw van de getroffen man terwijl mijn cliënt bezig was adequate hulp te verlenen heeft geprobeerd de sporen uit te wissen. Dit is door sporenonderzoek bevestigd.

Dit alles in overweging nemend verzoek ik de rechtbank het handelen van mijn cliënt uit te leggen als noodweer. Edelachtbare, mijn cliënt aanvaardt de consequenties ten aanzien van de drie punten volledig. Edelachtbare, ik laat het hierbij. Dank u wel.'

Doodse stilte. Buiten was het donker, in mijn hoofd daverde het. De rechter sprak.

'Dank u, mevrouw. De rechtbank houdt wel degelijk rekening met uw pleidooi.'

De rechter wendde zich vervolgens tot mij, maar ik kreeg niet goed meer mee wat er gebeurde.

'Meneer, bent u het eens met uw raadsvrouwe?'

'Eh, o, mijn verontschuldiging, edelachtbare. Jawel, het is goed, edelachtbare.'

'Meneer de officier, heeft u vragen of opmerkingen inzake het pleidooi van de raadsvrouw van de verdachte?'

'Nee, edelachtbare, het Openbaar Ministerie heeft geen op- of aanmerkingen inzake het pleidooi, dank u, edelachtbare.'

Het leek wel of Tom zich nu iets minder zelfverzekerd gedroeg. Ondanks de pijn in mijn hoofd had ik een lief ding gegeven voor zijn gedachten.

De teerling was geworpen. Nu restte alleen nog het vonnis. Anderhalf jaar voor die worp. Een aanzienlijke prijs voor het niet willen wijken. Maar ik was niet gevlucht, en dat zou elke straf draaglijk maken.

De rechter rechtte haar rug en keek mij weer aan. Ze vertelde me dat de rechtbank over veertien dagen uitspraak zou doen. Ook noemde ze dag en uur, en zei dat ik niet in persoon hoefde te komen; mijn raadsvrouw was gemachtigd. Ik dankte en daarmee werd de zitting gesloten. De rechter klapte het dossier dicht en streek nog eens door haar haren, zodat ze eindelijk weer allemaal op de goede plek belandden. Wij gingen staan en de deur sloot zich achter de vrouw die over twee weken over mijn voorlopig lot beslissen zou. Veertien dagen min negen uur; de klok wees bijna zes uur aan.

Buiten de rechtszaal hield Peter mij staande. Ik stelde hem en Jerry aan elkaar voor. 'Willem, een prima tante,' richtte hij zich tot mij. Toen vertrok hij.

Ik vertelde Jerry kort hoe we elkaar hadden leren kennen. Toen stelde ik voor een kop koffie te gaan drinken en kondigde ik aan nog een Imigrannetje te nemen, omdat het niet helemaal goed ging, daar boven.

'O,' lachte ze, 'ik weet er alles van.'

'Mag ik u een prikje offreren?' vroeg ik galant.

'Nee, vandaag was ik in mijn knollentuin, al was het wel best spannend.'

'Het lijkt me toch wel erg hard werken voor zo'n rechter,' zei ik.

'Ze koos er zelf voor,' zei Jerry alleen maar.

We verloren ons niet in gissingen omtrent wat komen zou. We zouden het wel merken. Tot dan hield ik rekening met de volle laag.

De koffie smaakte en het prikje deed zijn werk. Maar van slapen kwam die nacht niet veel. Het vooruitzicht van de gevangenis was weinig geruststellend. Alleen de gedachte dat het Pieter Baan of een soortgelijke instelling niet voor de hand lagen, gaf me uiteindelijk wat rust.

ZESENDERTIG

Niet alle hout is brandhout

Jerry kwam er in Peters artikel uitstekend vanaf. Volgens hem hield ze 'een pleidooi dat houtsneed. Een welkome afwisseling van het retorische gebral van de officier'. Van Tom liet hij weinig over. Ook was hij zo geschikt mijn initialen om te draaien. Zelfs de woordspeling kon ik op prijs stellen.

Toen de veertien dagen eindelijk voorbij waren, scheen de zon niet. Het was druilerig kil weer en elke voorjaarsgedachte was verre van ons, toen we opnieuw in de rechtszaal zaten met het zicht op de mooie klok. De bode hoefde geen gordijnen te sluiten, en deed zelfs het licht aan. Zonder dat dat de sfeer in de rechtszaal overigens verbeterde. Voor Jerry en mij zat er niets anders op dan gespannen afwachten. Gelukkig konden we de spanning met elkaar delen; ook voor haar stond er heel wat op het spel.

Tom leek niet helemaal in zijn nopjes. De wijzers op de plaat wezen ook dit keer precies kwart over negen aan toen hij, heel wat minder zelfverzekerd dan de vorige keer, 'de rechtbank' aankondigde. Iedereen stond op.

Allereerst werden mijn antecedenten voor de zoveelste keer herhaald, en werd weer eens uitgelegd waar het in deze zaak allemaal om ging. Rechts van mijn mond trilde een spiertje, zo erg, dat ik dacht dat het voor iedereen wel te zien zou zijn. Het maakte me niet zo veel uit, zolang Tom het maar niet in de smiezen kreeg.

De rechter opende het nog altijd niet erg dikke dossier en keek me recht aan met haar onbevangen blik. Haar haar zat weer onberispelijk maar glansde zonder zonlicht iets minder dan eerst.

'Meneer,' begon ze, ik ga u nu de straf mededelen voor het eerste punt van de tenlastelegging. Punt een, meneer: een poging tot diefstal van hout ten nadele van Staatsbosbeheer. Tweehonderd gulden boete met verbeurdverklaring van de zaag en het maathout. Uw lantaarn krijgt u terug.

Het tweede punt van de tenlastelegging betreft het in het bezit hebben van een wapen met enige verzwarende omstandigheden, zoals het vlijmscherp maken ervan. Twaalfhonderdvijftig gulden boete plus verbeurdverklaring van het wapen.'

Ze keek weer even op van het dossier, in mijn richting.

'Dan het derde punt van de tenlastelegging: het toebrengen van zwaar lichamelijk letsel.'

Ze liet een korte stilte vallen, als om de spanning op te voeren. Toen sprak ze met kalme stem. 'Gezien de omstandigheden waaronder het delict geschiedde, en aangezien u ondanks de precaire situatie toch een geslaagde poging deed adequate bijstand aan uw aanvaller te verlenen, legt de rechtbank uw handelen uit als terecht noodweer. Mede gezien de verklaringen van het slachtoffer. Tevens neemt de rechtbank in deze overweging mee dat de getuige, de vrouw van het slachtoffer, pogingen deed de sporen uit te wissen.'

Er ontsnapte mij een geluid, zoiets als een lang opgekropte snik die er eindelijk uit mocht. De rechter negeerde het uiteraard. 'Meneer,' ging ze verder op onbewogen toon, 'u heeft uw vonnis gehoord en begrepen?'

'Jawel, edelachtbare. Ik heb het vonnis gehoord en begrepen.' Gelukkig, ik was goed te verstaan.

'Meneer,' zei de rechter weer. 'U heeft het recht om in hoger beroep te gaan. Dat dient u binnen zes weken aan te tekenen. Meneer de officier,' de rechter richtte zich nu tot Tom, die haastig opstond, 'gaat het Openbaar Ministerie in hoger beroep?'

'Edelachtbare,' antwoordde hij plechtig, 'het OM ziet af van een hoger beroep.'

'Dank u, meneer de officier.'

'Mevrouw.' Nu keek de rechter naar Jerry. Ze ging meteen staan. Dat hoorde ik omdat haar stoel iets verschoof. 'Heeft u nog iets op of aan te merken op het vonnis dat zojuist door de rechter is uitgesproken?'

'Nee, edelachtbare, het vonnis is duidelijk en juist. Dank u, edelachtbare.' Ze ging weer zitten.

'Meneer,' besloot mevrouw de rechter, 'dan is uw veroordeling nu een feit. De rechtbank sluit deze zitting.'

Ze pakte het dossier op en het laatste wat ik van haar zag was de toga die iets uitwaaierde toen ze de rechtszaal verliet. Het publiek werd rumoerig, ook wij stonden op en verlieten de zaal.

Buiten op de gang gaf Peter me een klap op de schouder en zei joviaal: 'Graag gaf ik je raadsvrouwe ook zo'n klap. Maar of ze dat waarderen kan...?' Jerry, die het hoorde, zei: 'Beschouw die klap maar als gegeven, meneer. Dank u wel.' Ook ik dankte hem. Daarna liet ik het gerechtsgebouw achter me om Jerry te trakteren op een zoveelste kop koffie. Met gebak.

ZEVENENDERTIG

De egelstelling

De seizoenen die volgden verliepen rustig, maar in de winter sloeg de kou toe. Meestal beschouwde ik deze als een uitdaging, maar nu sloop er met de kou iets anders mee naar binnen – iets wat niet alleen mijn huis aantastte, maar ook mijn moraal.

Het hout dat ik bij elkaar had verzameld leek voor gewoon winterweer genoeg, maar nu de temperatuur zulke lage waarden aan bleef nemen, begon ik te vrezen dat ik mijn kachel niet warm genoeg zou kunnen houden. Bovendien liepen allerlei leidingen het gevaar kapot te vriezen.

Mijn standaardvoornemen om de winter zonder gebruik van gas door te komen begon langzaam af te zwakken. Van gas ben ik nooit verrukt geweest. Ik ben altijd een beetje bang geweest voor dat onzichtbare spul.

De cv-ketel was bijna twintig jaar oud. Ik had al eerder gespeeld met de gedachte een nieuwe te kopen dan wel hem buiten gebruik te stellen. Maar ik had een boete, en wilde ook mijn tuin verbouwen en op reis naar Jemen.

Eerst maar eens boodschappen doen. Het was venijnig koud, maar de zon scheen. Achter het huis was het min twaalf, buiten de wind min vijf. Maar 's middags scheen de zon volop. Slangenburg lokte.

Op mijn wandeling boekte ik gelijk acht dagen als kasteelheer, eind januari, een periode die ik sowieso moest zien door te komen. Tot nog toe was ik de enige, de kamer die ik kreeg heette Ochtendlicht. Ik kende hem, ik wist dat ik vanaf daar, onder het schuine dak met raam, uitzicht zou hebben op de bossen die me zo lief zijn. En er waren altijd wel mensen met wie ik overweg kon en soms maakten we in het donker een wandeling naar de abdij voor de avondviering van de paters.

Weer thuis werd ik overvallen door de kilte in de hal. De kachel was gelukkig aangebleven, ik porde hem een beetje op, en terwijl ik daarmee bezig was drong tot me door dat het hout dat ik nog had niet bestand was tegen deze kou. Ik moest iets anders zien te krijgen, kopen, bedoel ik. Voordat alles op was. Meteen bestelde ik, voor honderdtachtig gulden. Een hoop geld, maar het hielp me voorlopig uit de brand.

Maandag werd het gebracht. Ik benutte de dag om sneeuw te ruimen en in de schuur plek te maken voor de nieuwe, legale voorraad. 's Avonds stookte ik de kachel op met gemengd hout. Dat gaf iets van warmte, maar het hield niet over. In de slaapkamer beneden was het nog maar drie graden. Opnieuw twijfelde ik over de verwarming, en ik was haast opgelucht toen ik zag dat de waterdruk te laag was. Morgen dan maar. Nog een dag uitstel. Het was nu krap vier graden in mijn huis.

Ik zou het hele systeem kunnen aftappen zodat de leidingen niet zouden bevriezen, schoot me nog te binnen als laatste mogelijkheid om onder het gas uit te komen. Net als die winter dat ik voor een groot gedeelte in Vietnam zat. Maar toen had ik ander hout – mijn eigen hout.

Ik kreeg langzaam het gevoel omringd te zijn door vijanden, zonder de mogelijkheid ze op afstand te houden. Net als de Duitsers in de oorlog die voor de keuze stonden zich over te geven en terug te trekken dan wel veiligheid op te zoeken, maar dan wel die van een Russisch kamp. Standhouden! Tot de laatste kogel, de laatste man!

In egelstelling, heette dat. Ik dacht er heel sterk over om Cees te bellen, maar twijfelde. Zelf had hij het ook niet zo makkelijk. Toen ik het nummer uiteindelijk toch draaide, was het alsof me de keel werd gesnoerd. Hij was in gesprek. En een kwartier later nog.

Eerst sloeg de angst weer toe, daarna de boosheid. Er moest iets gebeuren. De kachel moest aan. Dan ontplofte-ie maar, zo ging het niet langer. Zo'n telefoon die na twee keer proberen niet opgenomen werd was niet het einde van de wereld, dat realiseerde ik me ook wel. Na lang aarzelen koppelde ik de slang aan de waterleiding en ketel en vulde de vereiste hoeveelheid bij. Dat was dat, ik hoefde hem nog niet per se aan te steken. Maar na heel lang aarzelen drukte ik toch de knop in, en wachtte gespannen. Het was nu of nooit.

Tegen mijn verwachting in begon de waakvlam te branden. Aarzelend, een beetje zoals ik, hoe normaal het in feite ook was wat ik deed. En hij bleef branden.

Intussen had ik het achter de buitendeur intens koud gekregen en in een fatalistische opwelling draaide ik de knop om. De brander plofte aan. Ik ging het huis binnen om overal te voelen, wel tien keer de trap op en af om te kijken of er al wat warmte waarneembaar was. Vooralsnog bevatten de radiatoren te veel lucht.

Maar gelukkig had ik de slang laten zitten en in de badkamer verspreidde zich een benauwde warmte, die voor mij evengoed weldadig was. Ontluchten en bijvullen, de waakvlam kon aan blijven. Langzaam maar zeker werd overal behaaglijkheid voelbaar, en nam bij mij de spanning af. Ik voerde de houtkachel nog wat met kwaliteitshout en om elf uur die avond was het hele huis weer leefbaar.

In bed luisterde ik naar de geluiden van een normaal

huis. Achter mij hoorde ik door de stukjes buis het water zijn weg zoeken naar de badkamer. De ketel sloeg aan. Maar de slaap wilde niet komen.

Zo nu en dan klonk er lawaai op straat. Een ronde door het huis leerde me dat het allemaal wat verderop gebeurde. Het klonk vertrouwd, als schieten in de verte.

Om half twee die nacht was het haast onvoorstelbaar stil. Ik besloot in bad te gaan. Een uur lang lag ik in het warme water. In een warme badkamer. Weer terug in bed zag ik hoe een grauwe ochtend langzaam aanbrak. De nieuwe dag lag als een Peruaans ravijn voor me.

ACHTENDERTIG

Een teken aan de wand

Een artikel in de krant, van onze correspondent. Niet ver hiervandaan, in Doetinchem, is tijdens de kou een 'oude zieke man bijna bevroren'. De centrale verwarming in zijn huis had het begeven, vertelde het bericht, en hij was niet in staat om hulp in te schakelen. Wat dus wilde zeggen, interpreteerde ik, dat hij ofwel geen telefoon had, ofwel geen mogelijkheid zag die te gebruiken.

Maar werd hij dan niet verzorgd? Hoe kon hij aan eten komen, het huishouden doen, als hij geen hulp kon inschakelen? Hij was gered doordat iemand, het bericht vertelde niet wie, argwaan kreeg en ging kijken. Hoeveel van dit soort gevallen waren er eigenlijk wel niet?

Wie zou straks mijn verglaasde ogen sluiten?

Ik ging voor de lustig brandende kachel zitten met het plan de dag onverstoord aan me voorbij te laten gaan. In een poging me te ontspannen masseerde ik mijn nekspieren, en met weemoed dacht ik aan de middeleeuwse marteling van de professor, die tien minuten helse pijn inhielden maar het daarna een heel stuk draaglijker deden zijn.

Nu was er Imigran. Spuitjes en pilletjes. Een spuitje hielp beter bij migraine, de spanningshoofdpijn kon ik beter bestrijden met een pilletje. Geen idee waarom het zo werkte, ik wist het uit ervaring. Maar een pilletje kostte meer dan twintig gulden en een spuitje zeventig. En ik was nogal een grootgebruiker. Het leek niet te kloppen dat ik medicijnen nodig had, en zo veel, terwijl anderen zonder hulp van hun familie crepeerden. Ik kon maar beter gaan slapen, of dat proberen.

Terwijl ik mijn bed opmaakte dacht ik aan die vrouw bij Bastiaans die me een keer toen ik in haar kamer was vroeg buiten te wachten terwijl ze haar bed opmaakte. Dat moest namelijk met pijnlijke precisie gebeuren. Later legde ze het uit: in het kamp was 'Bettenbau' een zaak van leven of dood. Wie het niet goed deed, liep de kans mishandeld of gestraft te worden. Het was haar plicht.

Toen ik die middag terugkeerde van wat boodschappen met de auto, voelde ik de spanningshoofdpijn alweer flink op komen zetten. Ik moest tijdig maatregelen nemen. Eerst de auto zo snel mogelijk de schuur in zien te krijgen. Kachel aansteken en me proberen te ontspannen.

Als ik de auto gewoon buiten zou laten staan, zou dat me minstens vijf minuten schelen. Maar ik wilde het niet. Pas later, in de stoel, bedacht ik waarom. Vroeger kregen we er flink van langs als we vergaten de konijnen af te dekken, de verduistering af te sluiten (of niet goed afsloten) of simpelweg onze klompen buiten lieten staan.

Het fenomeen erkennen maakt het soms iets gemakkelijker.

NEGENENDERTIG

Klompen

Na een paar dagen zaten ze eindelijk lekker. Het was winter en ik had in de schuur een paar lange halmen getrokken uit de grote bos roggestro die daar stond voor de varkens, en die in de lengte van het binnenste van mijn klompen gevouwen. Het was een bekend trucje. Even platduwen, nog even wennen en je voeten werden behaaglijk warm.

Mijn klompen sleten sneller dan die van de anderen. Mijn vader deed er niet al te moeilijk over. Als ze versleten waren, moesten er nieuwe komen. Maar in de laatste jaren van de oorlog, waarin mijn vader – eerlijk is eerlijk – zijn uiterste best deed het onderwijs voort te kunnen zetten, was om geld vragen vergeefse moeite. Dan kreeg ik een geïrriteerd 'Vraag maar aan je moeder' toegebeten, die steevast hetzelfde commentaar gaf: 'Heb je weer lopen sloffen?' Ze zei het zo afkeurend dat ik de vraag zo lang mogelijk uitstelde. Ze kreeg het zelfs voor elkaar dat ik me schuldig voelde over de vraag, terwijl ik al die kilometers op mijn klompen toch echt voor hen aflegde.

Ik spaarde stukjes karton, die ik soms zomaar ergens vond. Een stukje karton bood zo'n achtenveertig uur uitstel, als ik tenminste voorzichtig liep en het niet regende. Als het slecht weer was of er kon vanwege de vorderingen (lees: de bezetter jatte je fiets) niet gefietst worden, dan was lopen onvermijdelijk. Zelfs de zandwegen waren bij regen uiterst onprettig om te bewandelen.

Maar na een week of vier strompelen waren de klompen toch echt op. Na heel wat keren 'Je zult wel weer gesloft hebben' probeerde ik het dan maar zelf te regelen.

Eerst moest je op de wachtlijst. Als je iets schaars voorhanden had, sigaretten of een fles drank, ging het een stuk gemakkelijker. Maar lukte het 'smeren' niet, een fenomeen waar ik steeds vertrouwder mee begon te raken, dan ging ik in mijn wanhoop uiteindelijk naar moeder. Met het geschetste commentaar tot gevolg.

Toen de oorlog afliep raakten de klompen, al dan niet met gat, stro en/of karton, op de achtergrond. Dat dacht ik tenminste. In werkelijk lieten ook deze sermoenen zich niet verjagen.

***

Met razende koppijn word ik wakker. Eindelijk zet ik mezelf ertoe een prikje te nemen. Dat verstandige gedoe haalt ook zelden iets uit.

VEERTIG

De vlonders

Mijn tuinuitbreiding is klaar. De laatste weken heb ik me vreselijk afgemat, maar ik redde het. Zelfs de hele papierwinkel bij de gemeente is rond. Nu zit ik op het houten terras, een vlonder, in mijn nieuwe stuk tuin. Ik zit er te werken. De wind, mijn vriend, die maakt dat het geruis in mijn oren verloren gaat, blaast door de populieren. Het hout heb ik op eerlijke manier vergaard, zoals al het hout tegenwoordig. Mijn buren hadden een partij tropische kratten over. Tamelijk ruw hout, en verschillend van breedte. Ze wilden er graag van af.

Als concessie tegen die ruwheid en ongelijkheid is mijn vlonder precies rond. Naar de al bestaande tuin gaat een recht paadje, ook van hout.

De vlonder heeft één groot verschil met de vlonder die ik meer dan vijftig jaar geleden zo graag gebruikte. Deze ligt een halve meter onder het normale tuinoppervlak, die andere lag er enkele meters boven. Aan onze tuin vroeger grensde een stuk stadswal. We wisten eigenlijk nooit zeker of het van ons was of niet. Een rijkdom aan bomen en ander gewas, waaronder brandnetels, begroef het einde van het stuk muur in de weilanden. Daar stond een grote eik. De takken begonnen laag en zaten dicht opeen.

Tussen het kippenhok en de plaats waar de eik stond hadden de Duitsers een loopgraaf gemaakt, en even leek het erop dat ik het zonder mijn eik moest stellen. Maar ik vond een doorgang, een heel nauwe, als ik de brandnetels plat trapte. Zo kon ik weer bij mijn boom. Bovenin had ik van mijn 'georganiseerde' planken en touw een vlonder gemaakt. Ook ruw en ongelijk, en als concessie aan die eigenschappen rechthoekig. Erboven had ik een oude paraplu bevestigd, voor als de zon te fel werd of het dreigde te gaan regenen. Ook daar was ik niet rechtmatig aan gekomen.

Ik schreef er mijn strafwerk. Soms had ik het geluk dat meester Potlood vergat te melden dat mijn vaders handtekening onder het strafwerk moest, zodat die er niet van op de hoogte was. Ook mijn broer Ben kwam er niet, waarschijnlijk uit angst dat er een winkelhaak in zijn nette pak zou komen. Uittreksels uit het boek van de Roomsche Bekanntmachungen. Vijf of tien keer, maar net hoe de pet van Potlood stond. Soms ook liet hij andere factoren een rol spelen, zoals de lengte van de betreffende catechismusles. Er was geen peil op te trekken.

***

Nog altijd schrijf ik omdat het moet. Als een zelfopgelegde plicht. Bij Bastiaans leerde ik toegeven aan die andere plicht, leerde ik te gehoorzamen aan de sermoenen. Sinds het proces moest ik leren omgaan met het verlies ervan. Het schrijven heeft me tot nu toe weinig opgeleverd.

Ik verplaats mijn handen van het toetsenbord van de ouderwetse typemachine naar mijn schoot. Omdat de heg van mijn nieuwe stuk tuin erg laag is, kan ik het wandelpad zien en het bruggetje over de beek. Er wandelt een jong stel. Ze hebben twee kinderen, de oudste is nog geen vier. De moeder is zo te zien weer in verwachting. Een jonge hond dartelt om het gezinnetje heen.

Ik kan me, terwijl ik naar ze kijk, maar niet voorstellen dat twee mensen zo één kunnen zijn, zo verbonden dat ze samen een kindje krijgen.

Het gaat regenen, ik ga naar binnen. Als de bui overtrekt ga ik straks de bossen in.

Verantwoording

Bij het bewerken van dit boek heb ik op allerlei gebieden keuzes moeten maken, die ik in deze verantwoording kort zal toelichten.

KEUZE VAN HET BOEK

Wim Tubbing was zeer serieus in zijn ambitie zijn werk gepubliceerd te krijgen. Dat blijkt uit het feit dat hij de manuscripten van een ISBN voorzag en liet onderbrengen bij de Koninklijke Bibliotheek, en niet in de laatste plaats ook uit zijn testament. Toch slaagde hij er bij leven niet in deze wens in vervulling te brengen.

Wie zijn oorspronkelijke teksten leest, krijgt een indruk van de redenen hiervoor. De lezer moet in eerste instantie door de staccatostijl heen prikken. Tubbing wekt de indruk zijn gedachten letterlijk aan het papier toe te vertrouwen, alsof hij ze van zich afschrijft, in plaats van dat hij werkt aan de compositie van een roman. Ook begint hij na elke zin een nieuwe alinea en voorziet hij gebeurtenissen uitgebreid van eigen commentaar, waar het nodige gemopper en gescheld aan te pas komt.

Deze stijl maakt de manuscripten soms moeilijk leesbaar, maar kenmerkt tegelijkertijd het karakter van de auteur. Mensen die hem bij leven kenden noemen hem ad hoc en direct. Hij deed niet zijn best vrienden te maken, wond zich snel over dingen op en gaf bij zijn interpretaties van gebeurtenissen niet altijd ruimte aan andermans gevoelens en motieven. Hij was een rasechte einzelgänger.

Maar degenen die hem beter hebben gekend, vooral ook later in zijn leven, bevestigen een ander beeld, dat evengoed uit de manuscripten spreekt: hij had gevoel voor humor en een groot rechtvaardigheidsgevoel, was zeer eigenzinnig en buitengewoon intelligent. ('Meneer Tubbing,' zegt een van zijn psychiaters, 'u heeft een excellent verstand en een sterke wil.') Hij deed op geen enkele manier zijn best zich aan te passen aan wat van hem verwacht werd. En dat zijn beslist eigenschappen die een schrijver ten goede kunnen komen.

Bovendien had hij liefde voor taal, en voor beeldspraak. Tubbing had een hang naar clichés en vaste uitdrukkingen, maar kwam dan ineens met een beschrijving als 'De dood verloor zijn abstractie en werd een bittere, smerige aangelegenheid', nadat hij in aanraking was gekomen met iemand die zich van het leven beroofde. De taal hielp hem om de dingen te plaatsen en te benoemen. Omdat hij de oorzaak van de meeste van zijn frustraties en ongemakken in zijn jeugd legt, is een groot aantal van zijn boeken autobiografisch. Zo ook *Brandhout*, het boek dat er voor mij al heel snel uitsprong.

Een van de redenen hiervoor kan worden gezocht in het feit dat het, voor zover de stichting heeft kunnen achterhalen, het eerste boek is dat hij schreef na *Het touw*. Aan die roman werkte hij samen met Jan den Ouden, de 'cultuurhistorische uitgever' die Tubbing in het voorwerk van *Brandhout* bedankt. Den Ouden richtte De Steensplinter op, een uitgeverij van vooral theologische literatuur. Ook al was meteen duidelijk dat het boek niet in het fonds van De Steensplinter paste, toch volgden verschillende telefoongesprekken nadat Den Ouden het manuscript ontvangen had.

Jan den Ouden, met wie ik telefonisch contact had, zag dat Tubbing talent had, maar 'onbeholpen' was. Hij gaf hem tips op metaniveau, bijvoorbeeld dat hij structuur in zijn verhaal moest aanbrengen om het literair te maken, dat de lezer zich moest kunnen identificeren.

Het touw gaat (nu) over de zelfmoord van een van de patienten van de kliniek van Bastiaans. Maar toen hij het voor het eerst las, vertelt Den Ouden, was het een verhandeling over hoe je het beste zelfmoord kon plegen; 'Een zwaar depressief boek.' Tubbing heeft zijn tips zo te zien ter harte genomen. Vandaar, terecht, zijn dankbetuiging voor in *Brandhout*.

TEKSTBEWERKING

Als redacteur ben ik bij het bewerken van de tekst alsnog rigoureus, maar zorgvuldig te werk gegaan. De alinea-indeling heb ik herzien (Tubbing gebruikte een typemachine, mogelijk is dat de reden dat hij na elke zin een 'enter' plaatste), al te gekleurd commentaar van de auteur heb ik weggelaten om de lezer ruimte te laten voor eigen interpretaties, onnodige herhalingen of onduidelijke overgangen heb ik verwijderd dan wel aangevuld. Zijn staccatostijl heb ik gehandhaafd, maar waar dat de leesbaarheid ten goede kwam afgezwakt (hij maakt bijvoorbeeld halve zinnen als: 'Een ander aspect dat meespeelde was.').

Niet altijd lijkt Tubbing zich bewust van de buitenstaander. Soms is hij zo eufemistisch dat nauwelijks te volgen is wat hij precies bedoelt, of gebruikt hij spreekwoorden die alleen heel lokaal bekend zijn. Soms verwijst hij naar gebeurtenissen uit andere boeken alsof de lezer erbij is geweest. Ook in die gevallen greep ik in.

Een enkeling die ik sprak was vanwege Tubbings karakter en ruzies met uitgeverijen van mening dat hij geen enkele wijziging in zijn werk zou dulden. Toch voelde ik me bij de wijzigingen die ik aanbracht niet bezwaard. Dat kwam onder meer door het gesprek met Jan den Ouden, die de ervaring had dat Tubbing 'hunkerde naar commentaar' en zeer bereidwillig was zijn adviezen op te volgen. Bovendien heb ik steeds de Tubbing zo typerende karakterkenmerken in ogenschouw genomen, om het boek in zijn geest te kunnen bewerken.

Een buitengewoon goede docent leerde me ooit dat het de taak van een redacteur is de auteur te laten zien welk boek hij wil schrijven. Ik heb er vertrouwen in dat dit het boek is dat Wim Tubbing wilde schijven.

AANVULLEND EINDE

De grootste compositionele ingreep die ik deed betreft het einde. In Tubbings autobiografische teksten valt op dat hij moeite heeft zijn verhaal af te ronden. Hij beschrijft zijn leven en weet nu eenmaal niet hoe, waar en wanneer dat eindigt. Ook *Brandhout* stopt nogal abrupt. Het manuscript eindigt op het moment dat Tubbing zijn advocaat Jerry gaat trakteren op koffie met gebak, om de uitslag van de rechtszaak te vieren (hoofdstuk 36).

Het is interessant om even stil te staan bij dit abrupte einde. Uit *Brandhout* en ander werk blijkt dat Tubbing een groot wantrouwen had jegens politie en (lagere) gemeenteambtenaren, maar justitie erg hoog had zitten; hij vond dat er van alles mis was met de wereld waartegen veel harder moest worden opgetreden.

Het gedeelte van de rechtszaak laat zich daarom goed lezen als het verlangen van Tubbing naar een vonnis, van een orgaan dat hij respecteert: het Recht, met een grotere R. Is hij schuldig of niet? Niet hijzelf moet die vraag beantwoorden, niet zijn familie of vrienden, maar een objectieve, abstracte buitenstaander moet zich erover uitlaten, de waarheid voor eens en voor altijd boven tafel krijgen, met een eenduidig oordeel van de jury.

Opvallend is ook dat er tijdens het in *Brandhout* beschreven proces buitengewoon veel begrip is voor de hoofdpersoon, bijna alsof hij eindelijk zijn gramschap mag komen halen. Hij gedraagt zich in alle opzichten voorbeeldig – los van de zware overtredingen die hij heeft begaan. Het is alsof hij zichzelf hier een nieuwe kans wil geven om zich als een goed mens te bewijzen. Zowel hijzelf als andere aanwezigen worden tijdens het proces enigszins karikaturaal neergezet, alsof het om een strijd gaat van het goed tegen het kwaad.

Voor de auteur is het verhaal hierna klaar. 'Misschien,' zegt hij aan het begin van *Brandhout*, 'dat dit verhaal mij inzicht verschaft. Heel misschien.' Aan het einde van de roman is het inzicht dat hij aan de lezer wil opleggen dat hij onschuldig was, een slachtoffer.

De lezer daarentegen blijft zitten met losse eindjes die met deze rechtszaak niet zijn afgerond. Dat is de reden dat ik de roman hier niet heb laten stoppen, maar naar een aanvullend einde heb gezocht. Dat heb ik gevonden in de laatste hoofdstukken van *De Herfstaster*, dat doorloopt tot een latere periode in Wim Tubbings leven, waarin hij ook sterk reflecteert aan gebeurtenissen en personen die in *Brandhout* worden beschreven. Daarom leende het zich perfect om de roman *Brandhout* af te ronden.

Overigens is de rechtszaak de enige gebeurtenis uit het boek waarvan ik niet heb kunnen achterhalen of die inderdaad heeft plaatsgevonden. Niet bij de rechtbank, en niet bij mensen om hem heen, al gaven die unaniem aan dat het ze niet verbazen zou. Het was bekend dat hij de regels meestal niet heel nauw nam en zijn ex-zwager wist te vertellen dat hij bij Tubbing wel vaker de neiging had bespeurd om zich spullen toe te eigenen die hem niet toebehoorden, met het argument 'Zij hebben zo veel'. Daar had hij dus ook recht op.

Maar Tubbing kiest voor de fictieve vorm, dus al dan niet echt gebeurd doet er niet toe. Hij beschrijft de zaak zeer levendig en gedetailleerd en geeft zelf in zijn roman dan ook aan dat hij het allemaal in ieder geval zelf zo beleefd heeft. In technicolor.

DANK

Om het boek in zijn stijl en geest te kunnen bewerken heb ik mijn best gedaan Wim Tubbing, postuum, te leren kennen. Ik las al zijn werk, maakte wandelingen die hij beschrijft, bezocht huizen en steden waar hij woonde en sprak met vrienden, familieleden en anderen die hem bij leven kenden of ontmoetten. Graag wil ik mijn dank uitspreken aan degenen die me daarbij tot hulp waren. Met name: Broer Tubbing, Jos Ewald, Jan den Ouden, Rients Koopmans, Wim Stoer, Ad Verveld, Carla Niezen-Sonneveld, André Ruiter, Marjan Zuijderland, Rechtbank Zutphen. Daarnaast dank ik Jaap Verschoor, Rogier Goetze, Stichting W.G. Tubbing, redacteur Aranka van der Borgh en uitgever Geert van der Meulen voor het kritisch meelezen van dit boek en hun waardevolle commentaar en adviezen.

Inventarisatie van Tubbings werk

Tot slot volgt hier een kort overzicht van het werk van Wim Gerard Tubbing dat de Stichting W.G. Tubbing bij de Koninklijke Bibliotheek in Den Haag (KB) en in zijn woning aantrof en samenvoegde in één kartonnen doos en op een usb-stick, zodat wie dat wil zich ook in ander werk van Tubbing kan verdiepen. De titels zijn gerangschikt op chronologische volgorde.

Voorin geeft Wim Tubbing zelf vaak een citaat uit de tekst. Dat geef ik hier (ongeredigeerd, waar nodig wel gecorrigeerd) weer, gevolgd door een korte samenvatting van het werk. De werken voorzien van ISB-nummers zijn desgewenst op te vragen bij de KB. Sommige boeken zijn geschreven onder pseudoniem Guillaume d'Amory.

HET ONZICHTBARE BETON, DEEL 1-3

Voltooid op 3 juli 1994, 884 bladzijden, *ISBN 9789079044160*
Deel 1: 'De ijzige vlakte', deel 2: 'Spel in de woestijn', deel 3: 'De muur'

Citaat voor in 'Spel in de woestijn':

> 'Uitlating van een van mijn vele leerlingen van een tweede klas lbo.
> "Mijnheer, u maakt altijd grapjes en u lacht zo veel."
> "Ja, als ik niet meer lach, onthoud het, dan is het gauw met deze jongen afgelopen."
> We zullen zien of deze uitspraak bewaarheid wordt.'

Dit is Tubbings meest uitgebreide levensverhaal, en de eerste keer dat hij het opschreef. Hij staat uitgebreid stil bij zijn jeugd, beschrijft de slaapkuren, behandelt zijn eerste verliefdheid, zijn huwelijk met Francis en zijn carrière als docent. Hij beschrijft veel over zijn contacten met leerlingen, die soms moeilijk waren, maar vaak was hij een grote steun voor ze. Het wordt heel duidelijk dat hij zijn vak serieus nam en met plezier (en de nodige frustratie) uitoefende.

WAAR HET BETON OPHOUDT...
BEGINT HET GEDONDER!

Voltooid op 1 juni 1996, 213 bladzijden, *ISBN 9789079044153*

Reisverslag Peru, 29 september tot en met 28 oktober 1995. Na het winnen van wat de hoofdpersoon een 'juridisch geintje' noemt, waarmee hij een aanzienlijk bedrag vergaart, besluit hij een reis te maken. Het wordt Peru. Hij maakt er veel werk van een reisorganisatie te vinden die hem aanspreekt en boekt een georganiseerde en avontuurlijke reis. Samen met zijn reisgroepje trekt hij over Amazone-rivieren, bezoekt hij de Machu Picchu en wandelt hij door regenwouden. De groepsleden ondergaan nogal wat ontberingen en worden allemaal goed ziek, wat ergernissen oplevert maar de onderlinge band ook versterkt.

In Peru ontdekt de hoofdpersoon onder meer de schoonheid van religie. Hij bezoekt graag kerken, waar het hem opvalt dat gelovigen hier 'hun geloof nog zo kunnen beleven, dat ze iets te benijden valt'; 'Welk een schrille tegenstelling met de godsdienstoefeningen uit mijn jeugd, waarin we haarfijn uitplozen wie het vlugst met de liturgie overweg kon.' Ook ontdekt hij het onderhandelingsspel, al wordt dat soms bedorven door de gedachte dat wat hij van de prijs probeert af te snoepen een weekloon is voor de betreffende verkoper.

Opvallend is dat de hoofdpersoon vrijwel constant moppert, op het eten, de koffie, de algemene omstandigheden, de reisorganisatie en zijn medereizigers, maar zodra hij terug is heimwee heeft naar Amazone en de ongemakken, en gruwt van het 'huisje-boompje-beestje'-idee: 'bah!' Hij lijkt dus van dat mopperen ook wel een beetje te genieten. Hij constateert weemoedig dat de vervreemding met de medereizigers al begint als het einde in zicht is, en ze weer in de grote stad zijn en weg uit de natuur.

DE HERFSTASTER

Voltooid in september 1997, 356 bladzijden,
ISBN 9789079044108

> 'De moeder die niet van jou hield
> een vader die alleen maar haatte
> Het kinderleven werd zo vernield.
> En niets wat daarna nog baatte.'

Dit is Tubbings meest volledige autobiografische boek. Hij lijkt geen detail te hebben verzonnen. Namen zijn niet gefingeerd en de opbouw is chronologisch. Net als in *Brandhout* begint Tubbing te vertellen over zijn vroegste jeugd en over het trauma dat hij opliep vanwege de gedachte dat zijn ouders niet van hem hielden, dat hij een ongewenste factor was binnen de familie. Het citaat voorin noemt hij 'zijn grafschrift'.

De auteur gaat uitgebreid in op de periode waarin hij zocht naar een baan en zijn eerste seksuele verkenningen, die tot mislukken gedoemd waren. Ook zijn huwelijk, familiebanden, psychiatrische behandelingen en leraarschap komen aan bod. Hij schrijft door tot het moment waar hij met zijn leven is gekomen; 67 jaar oud. Van daaruit bespiegelt hij en maakt een balans op. De laatste woorden luiden: 'Om mijn sterven huil ik niet, maar omdat ik niet bloeien mocht.'

LAGER FÜNF

Voltooid in september 1998, 133 bladzijden,
ISBN 9789079044054

> 'Trekken?'
> 'Ja, wij nemen twee of drie paaltjes, die binden wij met ons touw aan elkaar, dan maken wij de paaltjes aan de draad vast.
> Kurt kan de paaltjes als drijver gebruiken.
> Met zijn borst erop en de armen eromheen, zo kan hij blijven ademen. Wij trekken hem zo mogelijk tussen de boten door naar de overzijde.'

Dit boek lijkt op een uitgewerkte jongensfantasie, waarin elementen uit Wim Tubbings jeugd zijn verwerkt. De vijftienjarige hoofdpersoon komt terug van zijn houtjattocht met een bolderkar vol elzenstammen, als hij door een legervrachtwagen wordt opgepikt en meegevoerd, samen met allemaal andere jonge jongens. Ze belanden in een kamp in Duitsland waar ze te horen krijgen dat ze er zullen worden heropgevoed. Een van de jongens, die een beetje ziek oogt, wordt meteen opgehangen. De toon is gezet. Ze moeten er hard werken en hun bedden keurig netjes opmaken. Wel krijgen ze genoeg te eten.

De kampleiding bestaat uit strenge vrouwen met korte leren rokjes, die 's ochtends de bedden langsgaan met de vraag: 'Wer hat getraumt?' De jongens die inderdaad gedroomd hebben moeten hun lakens verschonen. Al snel beginnen deze vrouwen seksuele diensten van de jongens te eisen, die daar graag aan voldoen.

De hoofdpersoon is sterk en mag samen met een team in het bos aan het werk. Uiteindelijk weet hij, na twee moorden, met een klein groepje inclusief enkele bewaaksters te ontsnappen, en treden ze na een lange reis met veel afzien de vrijheid tegemoet. De auteur eindigt met de vraag: Welke vrijheid? Ook voegt hij eraan toe dat hij met zijn meisje of vriendin geen 'man-zijn' kan beleven omdat hij dan twee dode mensen voor zich ziet: 'Dan schrompelt mijn lid. Van schaamte, onmacht of weerzin.'

HET TOUW

Voltooid in maart 1998 en april 2006 (na opmerkingen van uitgever Jan den Ouden), 118 bladzijden, ISBN 9789079044030

> 'Wij waren het kerkhof nog niet af of de machine die haar graf maakte, zette zich in beweging om haar rust te bestendigen.'

Het touw gaat over Tubbings tijd in de kliniek van Bastiaans en de patiënten die hij er ontmoette. Een daarvan is Anne, die in *Brandhout* ook voorkomt en in haar jeugd ernstig is mishandeld, eerst door haar vader en later door de Japanners. Op een avond komt ze de hoofdpersoon, meneer d'Amory, om een touw vragen, en hij geeft het haar. Ze verhangt zich ermee. Hij vindt haar in de schuur waar ze vaak samen hun traumarituelen uitvoerden: zij gooide stenen tegen de onbreekbare ruiten, hij zaagde hout. Als hij ziet dat ze zijn touw heeft gebruikt rent hij in paniek weg. Dagenlang durft hij niks te zeggen.

In het politieonderzoek dat volgt, is hij een van de hoofdverdachten. De professor gelooft in zijn onschuld, maar tegenover de politie moet hij zich verhoor na verhoor verantwoorden. Uiteindelijk komt het tot een rechtszaak, die uitvoerig wordt beschreven en doet denken aan die in *Brandhout*. Sommige passages komen zelfs exact overeen.

Er zijn vier tenlasteleggingen, voor twee ervan wordt hij veroordeeld.

DE ZWAARTE STRAF

Voltooid op 24 april 2000 en mei 2001, 265 bladzijden,
ISBN 9789079044078

> 'Tussen de post vond Karel een enveloppe. De inhoud: een briefje, enkele fotoafdrukken en een diskette. De tekst luidde: www.karelsfietsen.nl. Karel stak de floppy in zijn p.c. Met stijgende ontzetting staarde hij naar de tekst die de printer uitspuwde. Radeloos rende hij de straat op, naar zijn auto en keek niet uit. Lijn vierentwintig raakte hem in de rug. Karel bleef nog wel fietsen verkopen, maar er zelf op rijden...'

Ingenieus verhaal waarin drie mannen een manier vinden om drugs in het ventiel van een fiets te verstoppen en besluiten een smokkelhandel te beginnen. Door een inbraak van een van de drie raken drie vrouwen met hen in aanraking. Er volgt een thrillerachtige maar vooral ook slapstickachtige achtervolging, met alle ingrediënten waarvan de auteur ook in ander werk blijk gaf te houden: vrouwen in leren kleding en met macht, moorden, drugs en een vlucht voor de politie. De titel verwijst naar wat hoofdpersoon Karel overkomt. Door het in het begincitaat beschreven raakt hij verlamd; zijn straf voor de misdaden die hij heeft begaan.

DE TELEFOON UIT HET OUDSTE EN GOEDKOOPSTE HOTEL UIT DE STAD

Voltooid in november 2001, 211 bladzijden

Verslag van Wim Tubbings reis naar Alaska. Hij maakt er een tocht met een groepje anderen die erg moeizaam verloopt, onder andere omdat ze steeds opnieuw hun tentenkamp moeten opzetten. Tubbing heeft veel last van muggen, koppijn en slechte koffie. Naar deze tocht verwijst hij in *Brandhout*: de slaventocht van Juneau (de hoofdstad van Alaska). Zijn voornaamste drijfveer is om beren en andere wilde dieren zien.

DE BRONZEN RING

Voltooid in juni 2005, 309 bladzijden, ISBN 9789079044016

> 'Gwen ging niet naar haar kleine woning. Tijdens het afschieten van haar authentieke geweer was bij haar de gedachte opgekomen ook een kogel uit elkaar te peuteren. O ja, dat kon faliekant uitpakken. Maar ze trof maatregelen. Zij sleepte de werkbank uit de alkoof midden in haar magazijn. En monteerde de bankschroef midden op het blad. Het was zo wel lastiger die dicht en open te draaien, maar het hoefde maar één keer. Als het goed ging en anders, tja, dan eigenlijk ook niet meer.
> De instabiliteit van het kogelkruit was haar meegevallen. De kogel was netjes in het zand blijven steken. En daar viel wat mee te doen. Een experimentje waar ze haar vriendinnen niet aan bloot wilde stellen. Ze zocht twee stevige vuilniszakken en vulde die met zand.'

In *Bronzen Ring* loopt een jongen van vijftien weg van huis omdat zijn moeder verongelukt is en er nu steeds andere vrouwen bij zijn vader over de vloer komen, die hem bovendien avances maken. Zijn vader heeft behalve voor deze vrouwen vooral belangstelling voor 'stickies' en bier.

De hoofdpersoon komt terecht bij een vrouw, Marie, die goed voor hem zorgt en bij wie hij op de boerderij kan werken. Maar hij ontwikkelt een dubbelleven: 's avonds gaat hij eropuit om prostituees op te zoeken. Nadat hij een keer op het laatste moment wordt afgewezen wil hij wraak nemen, wat erin resulteert dat hij de betreffende vrouw verkracht.

Vanaf dat moment kan hij de dwang niet weerstaan dit vaker te doen. Hij wordt een gezochte serieverkrachter, met als opvallendste kenmerk zijn gebruik van een bronzen ring, die hij van Marie kreeg en die hij om zijn geslacht doet voordat hij zijn misdaad begaat.

De roman ontwikkelt zich als detective: binnen de kring van vrienden die de hoofdpersoon en dader heeft gemaakt wordt de verkrachtingszaak regelmatig besproken, aangezien deze veel aandacht krijgt in de media. Uiteindelijk wordt hij gepakt, maar desondanks kan hij rekenen op de steun van zijn vrienden, die begrijpen dat wat hij heeft meegemaakt hem aanzette tot zijn wandaden.

Iets dergelijks zegt Tubbing zelf ook in het dankwoord: 'Nu minister Donner onder druk staat vanwege die proefverloven en ieder in de hoogste boom zit, kan ik voor die tbs'ers wel enig begrip opbrengen. Al zal mij dat niet in dank worden afgenomen. Je zal het maar zijn.'

EN, KOM JE VERDER DAN DE LACH?

Voltooid op 23 december 2006, 353 bladzijden,
ISBN 9789079044092

Verslag van Tubbings reis naar Vietnam in 1994-1995. Zoals bij elk van zijn reisverhalen staat de auteur eerst uitgebreid stil bij de reisbureauperikelen. Als hij eenmaal op weg is maakt hij opmerkingen over de stewardessen van Singapore Airlines die te mager zouden zijn. Hij klaagt op zijn eigen, wat zwartgallige manier over het eten en de buikkrampen die hij ervan krijgt, en over discomfort, dat zo nu en dan wordt afgewisseld door betere momenten. 'Ik lig vroeg in mijn redelijke bed na een lekkere douche zonder kakkerlakken, waarvan akte.'

Een positief punt is hoe vriendelijk en behulpzaam iedereen is. Hoeveel iedereen lacht. Ook heeft hij in Vietnam, volgens dit boek, voor het eerst van zijn leven een 'gelukte' seksuele ervaring in de vorm van een 'Amerikaanse massage'.

HITLERS BYPASS

Jaar van schrijven onbekend, 231 bladzijden (niet voltooid)

> '"Zonder de olie uit Maikop en Grozny, zelfs meer dan het graan uit de Oekraïne, moet ik deze oorlog beëindigen."
> Adolf Hitler in een van zijn redevoeringen.
>
> Zij stonden met een angstige uitdrukking op het gezicht en met hun lijf tegen de gekartelde randen van de weer aan stukken gebrande buizen.
> De trompen van machinepistolen wezen hun de weg

die zij moesten gaan.
De tijdens de fabricage al gesaboteerde buizen in.
En hun taak?
De lijken van de aan flarden geschoten (medewerkers) verwijderen.
Kotsen, dat waren wij inmiddels verleerd.'

Tijdens de Tweede Wereldoorlog wordt een groepje smokkelaars gepakt door de nazi's. Ze weten zich in de kampen waar ze terechtkomen overeind te houden dankzij hun kennis van motoren en andere technische zaken, waardoor ze zich in er nuttig kunnen maken. Uiteindelijk komen ze te werken aan een groot prestigeproject van Hitler: een oliepijplijn in Roemenië.

Een opvallende keuze is dat Hitler als personage zelf in de roman voorkomt. Hele passages zijn vanuit hem beschreven, in derde persoon enkelvoud. De roman is niet voltooid.

DERDEWERELDLANDDOKTER

Jaar van schrijven onbekend, 163 bladzijden

De titel verwijst naar een term die Tubbings huisarts gebruikt, die er prat op gaat 99 procent van zijn patiënten bij de specialist weg te houden maar een aandoening van de hoofdpersoon in eerste instantie over het hoofd ziet. Het boek gaat over Tubbings fysieke aandoeningen, beginnend in Peru, waar hij de zogenaamde derdewereldlanddokter bezoekt. Terug in Nederland wordt hij geopereerd aan zijn hartklep. Niet lang erna sterft zijn lievelingsbroer en vlak daarop krijgt hij te horen dat hij mogelijk kanker heeft. Een autobiografisch verhaal.

KORTE VERHALEN (V.A. 1991)

De korte verhalen van Wim Tubbing gaan net als zijn andere werk over reizen, leraarschap, vrouwen en geweld. Ze tellen over het algemeen tussen de drie en dertien pagina's. Sommige zijn meer een verslag, alsof de auteur een bepaalde gebeurtenis moet verwerken, andere zijn al dan niet verzonnen verhalen. Er zit ook één 48 pagina's tellend pornografisch relaas tussen.

Tubbing schrijft onder meer over de 'pasja', de barre tocht om het varken te halen die hij ook in *Brandhout* beschrijft. Een gedeelte van de tekst overlapt letterlijk, maar in deze kortere versie ligt de nadruk bij de bescrhijving van die nacht op de Duitse jongens Erich en Carl, die de auteur graag tot zijn vrienden zou willen rekenen. Ook schrijft hij over zijn obsessie met hout en ongewenste ontmoetingen met de boswachter.

Verder komt zijn jeugd in de verhalen weinig naar voren, behalve een verhaal over meester Potlood: 'Schoolmeesters zijn lui volk, laten alles door de bloedjes van leerlingen doen tot het schoonvegen van het bord toe en je had er in die tijd bij die zo goed waren dat het poetsen van des meesters fiets beschouwd werd als een eer.'

In een de verhalen neemt hij wraak op de jongens die hem, omdat hij altijd een leren broek draagt, 'Lederhosen' naroepen als hij op zijn fiets voorbijkomt. 'Aan mijn vrijheid is al zo veel geknaagd dat er weinig van over is, zulks is aan de buitenkant niet waarneembaar.'

Het meest en ook het meest aanstekelijk schrijft Tubbing over zijn leraarschap. In deze verhalen vertelt hij anekdotes uit zijn lessen en beschrijft hij hoe hij met vreemde of ongewenste situaties omgaat. Er wordt veel moeilijk gedrag van de leerlingen aangekaart, maar de auteur is hier ook heel eerlijk over zijn eigen rol. Voor de klas stelde hij zich naar het schijnt kwetsbaarder voor dan als kind binnen zijn gezin.

GEDICHTEN

Wim Tubbing schreef veel en graag gedichten. Als hij een ingeving kreeg, vertelt hij zelf, moest hij die zo snel mogelijk noteren, voordat deze weer verdwenen was. De gedichten zijn op rijm en gaan meestal over hemzelf.

Om een indruk te geven volgt tot slot 'De clown', dat hij in augustus 1989 schreef na het zien van een circusvoorstelling, en opnam als opdracht in een van zijn autobiografische romans om aan te geven dat zijn lach niet meer dan een façade is. Het gedicht is hier toepasselijk omdat Tubbing met *Brandhout* en het project eromheen, net als de clown in het gedicht, het publiek tot zijn koor heeft gemaakt, en zijn leven openbaar.

DE CLOWN

Lach toch Paljazzo,
daar betaalden we voor.
Jouw spel is intermezzo,
het Publiek vormt het koor?

Zijn felgekleurde mond
en de gebaren zo driest.
De wangen intens gezond,
maar de ogen zo triest.
Jouw grollen en grappen
vermaken groot en klein.
Slechts een enkeling kan snappen,
die grootheid van pijn.

Want het is jouw moeilijke werken.
Je waar maken voor die gasten.
Alleen zij mogen het niet merken.
Jij bent Paljazzo, maar zij zijn de kwasten.

Wat zou ik graag met je ruilen,
wanneer jij in de piste staat.
Jouw lachen zie ik als huilen,
't gebaar, dat naar jouw ogen gaat.

Lach door Paljazzo,
daar betaalden we voor.
Jouw spel blijft intermezzo,
maar wij vormen jouw koor.

Pagina uit het reisdagboek dat Wim Tubbing bijhield
tijdens zijn verblijf in Peru, 1995.